우리는
세계를 파괴하지 않고
세계를 먹여 살릴 수
있는가

Can We Feed the World Without Destroying It? 1ST edition
by Eric Holt-Giménez

우리는
세계를 파괴하지 않고
세계를 먹여 살릴 수
있는가

에릭 홀트-히메네스 Eric Holt-Giménez 지음
박형신 옮김

Can

We

Feed

the World

Without

Destroying

It?

한울
아카데미

차 례

감사의 말

이 책의 토대가 된 연구를 수행한 모든 저자와 먹을거리 및 농업 연구자들에게 깊은 감사를 전한다. 푸드 퍼스트Food First의 이사회가 아주 긴요한 안식년을 주었기에, 나는 그 일 년 동안 그간 틈틈이 써놓았던 글들을 모아 하나의 완전한 원고로 만들 수 있었다. 내가 없는 동안 내 자리를 메워준 푸드 퍼스트 스태프들에게 진심으로 감사드린다. 일야 반 라메렌Ilja Van Lammeren은 내가 이 책의 초안을 작성하는 일을 도와주었고, 폴리티Polity 출판사의 편집자들은 많은 유익한 제안을 해주었다. 그리고 네 명의 익명의 논평자는 건설적인 논평을 통해 이 책의 출간을 도와주었다. 나의 아내이자 동료인 레오노르 허타도Leonor Hurtado는 글을 쓰는 과정에서 소중한 지원과 격려를 아끼지 않았다. 기아를 유발하는 불의에 또 하나의 타격을 가하는 데 도움을 준 모두에게 감사한다.

제1장

먹을거리의 정치, 권력, 잠재력

세상이 많이 변했다. 50년 전만 해도 다수확 교배종, 화학비료, 강력 살충제, 광범위한 관개, 대형 농기계들이 서로 화합하여 기아를 과거의 일로 만들 것이라는 데에 의문을 제기하는 사람은 거의 없었다. 우리는 전 세계에 '녹색혁명'을 확산시키기만 하면 되고, 우리가 인구 증가를 통제한다면 현대 기술이 우리에게 풍부한 먹을거리를 제공할 것이라고 믿었다.

이제 우리는 이를 확신하지 못한다. 일부 지역에서는 그리고 어떤 사람들에게는 충분한 먹을거리를 생산할 수 있는 능력이 여전히 삶의 중심 과제가 되고 있다. 그러나 글로벌 먹을거리 체계를 살펴보면, 우리는 새로운 일단의 문제 모두가 먹을거리 부족과 관련된 과제라기보다는 먹을거리 과잉생산과 더 관련

되어 있다는 것을 알게 된다. 이를테면 농민들이 지급받는 만성적인 낮은 농산물 가격, 과도한 수준의 음식 쓰레기, 그리고 식량으로 쓰던 곡물과 오일시드를 사료와 연료로 용도 변경하는 것 모두는 체계적인 과잉생산을 반영한다. 심지어는 전 세계 소농 농부들 사이에서 나타나는 높은 수준의 기아와 영양실조도 과잉공급의 산술이다. 거대한 시장 권력을 가진 대규모 산업 농장들은 막대한 잉여를 생산하고 토지와 자원을 독점하면서, 이들 소농민을 파산과 기아로 내몰고 있다.

우리는 그간 충분한 양의 먹을거리를 생산하는 **능력**에 의문을 제기하는 것에서 벗어나서 우리가 생산하는 **방식**에 의문을 제기해 왔다. 세계 인구 증가율이 안정화되고 우리가 전보다 훨씬 더 많은 먹을거리를 생산하고 있음에도 불구하고, 현재 세계 인구의 거의 3분의 1이 기아와 영양실조로 고통받고 있다. 그들 — 2050년경에는 전 세계에서 그러한 사람들이 100억 명에 달할 것으로 추정된다 — 을 먹여 살리는 것은 정부, 다국적 기관, 구호 및 개발 프로그램, 거대 자선단체, 심지어는 포천Fortune 500대 기업에도 중요한 과제 가운데 하나가 되었다.

미래의 기근과 광범위한 영양실조에 대한 공포는 한 세대 내에 먹을거리 생산을 두 배로 늘리기 위한 일련의 계획을 계속해서 재촉해 왔다. 오늘날에는 유전공학, 빅 데이터, 대형 농장,

대형 슈퍼마켓들로 구성된 강력한 집단이 세계의 기아를 종식시키기 위한 전 세계적 노력의 일환으로 정부 및 다자간 기관들과 협력해 왔다.

그러나 먹을거리를 두 배 생산하는 것은 우리 지구의 자원을 지구의 능력 이상으로 혹사시키지 않을까? 먹을거리 체계에 우리가 남긴 생태 발자국ecological footprint[인간의 활동에 요구되는 일체의 생태서비스의 총량을 지구상의 면적으로 계산한 수치로, 생태 발자국 수치가 높을수록 생태계가 많이 훼손되었다는 것을 의미한다_옮긴이]은 이미 우리에게 경고하고 있다.

생물다양성과 생태서비스의 상실로 인해 우리는 연간 세계 총생산의 10% 이상을 잃고 있다. 사막화, 토양 침식 및 토양 파괴로 인해 우리는 매년 750억 톤 이상의 비옥한 토양을 잃고 있다. 산업적 농업이 세계 담수의 75%를 쓰고 있다. 그리고 산업적 농업으로 인해 세계 농업 생물다양성의 90% 이상이 상실되었다. 농업 유출수로 인해 멕시코만에서 발트해까지 부영양화된 '데드존dead zone'[질소 비료가 극심하게 유출되어 발생한 녹조로 인해 산소 농도가 매우 낮아진 저산소 해양 및 호수 지역_옮긴이]이 광대하게 생겨났다. 더 많은 오염, 서식지 상실, 그리고 종 멸종은 세계를 먹여 살리기 위한 불가피한 결과인가?

게다가 극단적인 기상 사태, 사라지는 극지방의 만년설, 그리고 바다의 상승 모두는 온실가스를 뿜어내는 우리의 산업 먹을거리 체계가 위험한 부否의 피드백 루프negative feedback loop에 진입했다는 것을 분명하게 보여준다. 우리가 먹을거리를 생산하고 소비하는 방식이 우리의 먹을거리 생산능력을 약화시키고 있다.

먹을거리 자체는 우리에게 좋은 것에서 종종 우리에게 나쁜 것으로 변해왔다. 기아 외에도 비만, 유행병, 식중독 및 식생활 관련 질병이 먹을거리 문제의 목록에 추가되었다. 우리가 먹을거리를 생산하고 가공하고 배달하고 소비하는 방식 때문에, 먹을거리의 풍부함은 먹을거리 부족만큼이나 골치 아픈 일이 되었다. 우리는 먹을거리 문제에 대해 걱정하는 것만큼이나 그 문제의 해결책에 대해서도 걱정하게 되었다. "우리가 세계를 파괴하지 않고 세계를 먹여 살릴 수 있는가?"라는 질문에 뒤따르는 질문이 바로 "그리고 그 과정에서 우리가 우리 자신을 죽이지 않는가?" 하는 것이다.

이 두 질문 모두는 먹을거리 부족이라는 오래된 틀 — 너무 많은 사람이 너무 적은 자원을 놓고 경쟁하고 있다는 문제 틀 — 에 근거하고 있다. 인구 전문가 파울 에를리히Paul Ehrlich는 만약 우리 모두가 현대 도시 생활양식을 영위하고자 한다면 지구 인구의 3분의 2 이상을 줄여 지구 인구가 15억 명에서 20억 명이 되게 해야 한다고 주장한다. 그러나 이 정액 방식의 자원 회계는 자원 소비를 획책하는 사회체계의 정치-경제적 본질을 분석하지 않고 있으며, 인구 열 명당 여덟 명을 제거해야 하는 해결할 수 없는 윤리적 딜레마로 우리를 이끈다.

그럼에도 불구하고 기아와 자원 고갈은 실제적이다. 왜냐하면 지구 인구가 30억 명 더 증가할 것으로 예상되기 때문이다. 그러나 먹을거리 생산이 항상 파괴적이라는 관념과 마찬가지로 먹을거리 부족과 인구 증가가 기아를 유발한다는 가정은 모순으로 가득 차 있다.

1970년대에 지구에서 일곱 명 중 한 명이 굶주리고 있었을 때, 지구의 '과잉'에 대한 두려움 때문에 로마클럽, 유엔, 그리고 제3세계에서 일하는 대부분의 북부 기관이 국제적인 토론을 벌였다. 전통적인 맬서스식 지혜는 세계 인구가 증가하면 결국 먹을 것이 거덜 날 것이라고 주장했다. 우리가 인구 증가를 억제하고 현대 농업기술로 먹을거리 생산을 두 배로 늘리지 않는 한, 지구와 지구의 인간 거주자들은 수십억 명의 굶주린 사람들에 의해 파괴될 것으로 생각되었다.

이러한 끔찍한 예측이 나온 지 반세기가 지난 지금, 세계경제에서 먹을거리와 부가 엄청나게 증가했다. 그러나 공식적인 수치로 보더라도 일곱 명 중 적어도 한 명이 여전히 굶주리고 있다(실제 수치는 아마도 그것의 두 배일 것이다). 현실성 있게 측정하더라도 가난하게 살아가는 사람들의 수는 크게 줄어들지 않고 있다.

그러나 우리의 먹을거리 체계와 환경에 압력을 가하는 것은 가난하고 배고픈 사람들이 아니다. 압력을 가하는 것은 지구 북부와 지구 남부의 중간계급 소비자에게서 증가하는 시장 수요이다. 곡물이나 콩을 먹은 고기와 제철이 아닌 농산물에 대한 이들 소비자의 욕구가 글로벌 먹을거리 체계의 경제적 기둥이다. 인구과잉과 먹을거리 부족이라는 이중의 유령이 여전히 반기아 및 환경 담론을 지배하고 있지만, 과잉소비의 해악이 과잉생산과 나란히 우리 시대의 과제로 소리 없이 등장하고 있다.

오늘날 우리는 이미 100억 명의 사람들을 먹여 살리기에 충분한 먹을거리를 생산하고 있다. 그 생산량은 현재 지구에서 살고 있는 76억 명의 남성과 여성, 아이들 모두를 먹여 살리는 데 실제로 필요한 양보다 1.5배 많다. 그럼에도 불구하고 측정 기준에 따라서는 100만 명에서 30억 명 사이의 사람이 여전히 굶주리고 있다. 이것이 바로 우리가 2050년까지 먹을거리 생산을 두 배로 늘려야만 한다는 말을 항상 듣는 이유이다.

한 세대 내에 먹을거리 생산을 두 배로 늘리는 것은 녹색혁명이 10억 명의 사람을 기아로부터 구했다고 주장한 1960년대 이래 글로벌 정명의 하나였다. 글로벌 먹을거리 생산의 증가 — 이는 실제로는 현장에서 전혀 확인되지 않았다 — 로부터 추단된 이 주장은 기아는 서구 열강들이 제공하는 현대 기술을 확장함으로써 해결될 수 있는 저개발의 문제라고 피력해 왔다. 이 가정 — 그리고 큰 수익을 내는 농업 관련 사업 부문의 확장 — 은 이를테면 미국처럼 부유하고 풍요로우며 인구밀도가 낮고 생산성이 높은 나라에서 기아가 출현했을 때 사람들로 하여금 기아를 대수롭지 않게 여기게 했다.

녹색혁명의 기술적 효과에 대한 끝없는 찬양과 세계 기아의 종식에 대한 계속되는 요구는 모순적인 것처럼 보인다. 2015년에서야 유엔은 밀레니엄개발목표Millennium Development Goals(MDGs)가 달성되고 있으며 우리가 기아와 빈곤을 종식시키는 길에 들어섰다고 알렸다. 동시에 유엔 식량농업기구Food and Agriculture Organization(FAO)는 모든 사람을 충분히 먹여 살리는 데 필요한 먹을거리보다 50% 더 생산되고 있음을 인정하면서도 앞으로 30년 동안 먹을거리 공급을 70%쯤 더 늘려야 한다고 주장했다.

우리가 대체 이 말을 어떻게 이해해야 할까? 너무나도 많은 먹을거리가 존재하고 있음에도 불구하고, 대체 어째서 수십억 명의 사람들이 굶주리고 영양실조 상태에 있단 말인가? 만약 우리가 이미 먹을거리를 과잉생산하고 있다면, 더 많은 먹을거리를 생산하는 것이 어떻게 기아를 종식시키는 방법이 된다는 말인가? 우리가 지나치게 많은 먹을거리를 생산할 때조차, 우리는 결코 충분한 먹을거리를 가지고 있는 것으로 보이지 않는다. 마법사의 제자Sorcerer's Apprentice의 빗자루처럼, 기아는 근절될 때마다 증가하는 것처럼 보인다.

기아를 종식시키라는 한편에서의 계속되는 요구와 기술 진보를 믿으라는 다른 한편에서의 끊임없는 요구는 과잉생산과 과소비에 사로잡힌 세계에서 나타나는 지구화된 인지부조화cognitive dissonance의 한 형태로, 기아의 모순을 다루기를 회피하는 것이다.

기아 종식의 요구는 통상적으로 필요와 수요를 구분하지 않는다. 사람들이 굶주리는 것은 먹을거리가 부족하기 때문이 아니라 너무나도 가난해서 먹을거리를 살 수 없기 때문이다. 먹을거리 부족, 기아, 기술적 해결책에 대한 서사에서 쉽게 놓치고 있는 모순이 바로 기아를 겪고 있는 사람들 대부분이 농부라는 사실이다.

이 책의 제목을 통해 제기한 불안한 질문, 즉 "우리는 세계를 파괴하지 않고 세계를 먹여 살릴 수 있는가?"는 최소한도의 먹을거리, 인간성, 자연의 수준에서 우리의 감정과 윤리에 호소한다. 이 질문에 "아니오"라고 답하는 것은 멸종에 굴복하는 것이거나 가진 자와 가지지 못한 자의 냉소적인 미래 – 특권 있는 소수가 푸르게 우거진 녹색 세상에서 잘 먹고 번창하는 반면 대다수는 오염되고 풍토가 파괴된 글로벌 사막에서 나쁜 먹을거리를 먹고 비참하게 살아야만 하는 – 에 굴복하는 것이다. "예"라고 답하는 것은 환경이 붕괴하기 직전에 처하게 하는 데 일조한 기술적 접근방식에 대한 우리의 믿음을 재확인하는 것이다.

만약 우리가 "우리는 세계를 파괴하지 않고 세계를 먹여 살릴 수 있는가?"라는 질문을 던지고 심문하지 않는다면, 우리는 글자 그대로 막다른 길에 도달하게 될 것이다. 이 책이 제시하는 비판적인 대답은 둘 다이다. 다시 말해 이 책의 답은 "현재 우리가 세계를 먹여 살리는 방식으로는 '아니다'"이고, "만약 우리가 먹을거리 체계를 근본적으로 변화시킨다면 '그렇다'"이다.

현재의 먹을거리 체계하에서 단순히 생산을 두 배로 늘리는 것은 기아를 종식시키는 것이 아니라, (우리가 먹을거리를 생산하고 부를 분배하는 방법을 근본적으로 변화시키지 않을 경우) 실제로 우리의 지구를 생태적 한계 너머로까지 내몰음으로써 수십억 명의 삶과 생계를 파괴할지도 모른다. 우리의 현재 먹을거리 체계가 직면한 사회적·환경적 파산은 수세기 동안 형성되고 있는 불공평하고 추출주의extractivism적인 먹을거리 레짐food regime[1]의 결과이다. 지구를 파괴하지 않고도 모든 사람을 먹여 살릴 수 있는 기술, 전문지식, 자원은 오랫동안 존재해 왔다. 진정한 질문은 다음과 같다. "무엇이 우리가 세계를 파괴하지 않으면서도 세계를 먹여 살리는 것을 가로막고 있는가?"

이 질문에 답하기 위해 이 책은 농경학과 먹을거리 생산의 생태학뿐만 아니라 먹을거리의 정치경제학 — 즉, 전체 먹을거리 체계(농장에서 식탁까지)에서 자원, 가치, 권력이 배분되는 방식 — 도 다룬다. 이 접근방식은 먹을거리 체계에서 누가 무엇을 가지는지, 누가 무엇을 하는지, 누가 무엇을 얻는지, 그리고 그들은 얻은 것을 가지고 무엇을 하는지를 이해하기 위해 비판이론과 자본주의에 대한 구조적 분석을 이용한다. 이 책은 또한 현 상황에 대한 대안들에 초점을 맞추어, 그러한 대안의 채택을 가로막고 있는 장벽을 확인하고, 먹을거리 체계 변화의 사회적·정치적 가능성 — 사회운동의 힘과 전체 체계 변혁이라는 정명 둘 다를 아우르는 과제 — 에 대해 살펴본다.

우리가 자본주의 먹을거리 체계를 가지고 있기 때문에, 세계를 파괴하지 않고 세계를 먹여 살리기 위해서는 자본주의 자체를 비판적으로 이해할 필요가 있다. 또한 우리가 먹을거리를 생산하고 소비하는 방식만을 바꾸는 것이 아니라 사회 자체도 변혁시키기 위해서는 세계 먹을거리 체계 내에 엄청난 사회적 권력을 구축하는 방법 역시 찾아야 한다. 이 책은 이러한 도전에 기여하기 위해 집필되었다.

제2장

풍요한 사회에서의 기아

방글라데시에서 충격적인 기근이 발생한 이후 1974년 로마에서 열린 세계식량회의World Food Conference에서 미국 국무장관 헨리 키신저Henry Kissinger는 10년 내에 아동 기아를 종식시킬 것이라는 유명한 약속을 했다. 세계 지도자들은 갈채를 보냈다. 전 세계에서 일곱 명 중 한 명이 굶주리고 있었지만, 세계 지도자들은 아주 낙관적이었다. 녹색혁명 ─ 개발도상국 전역의 농부들에게 비료, 농약, 다수확 곡물 품종을 보급하고자 한 국제 캠페인 ─ 을 도입한 이후 글로벌 먹을거리 생산이 극적으로 증가했다. 녹색혁명이 적어도 10억 명을 기아로부터 구했다고 주장되었다. 21세기로 접어들 때, 글로벌 먹을거리 잉여와 잘 구축된 식량원조 체계는 지구상에서 기근의 재앙을 거의 근절시켰다.

그러나 그다음 20년 동안은 1인당 먹을거리가 12% 증가했음에도 불구하고 굶주리는 사람의 수는 6억 5000만 명에서 8억 3000만 명으로 증가했다. 2008년과 2011년의 먹을거리 가격 위기 이후에는 굶주리는 사람들이 폭발적으로 증가하여 12억 명에 달했다.

그다음에 유엔은 2013년에 굶주리는 사람의 수가 감소하고 있다고 발표했다. 2015년 밀레니엄개발목표의 최종 보고서는 대담하게 다음과 같이 선언했다. "추정치는 개발도상 지역에서 영양부족 상태에 있는 사람들의 비율이 거의 절반으로 줄었다는 것을 보여준다."[1] 기아 종식의 임무가 다시 우리의 사정권 안으로 들어왔다.

기아가 더 늘어나지 않을 때까지는 그랬다.

2017년에 유엔 식량농업기구(FAO)는 기아가 증가하고 있음을 인정하지 않을 수 없었다. "2015년에는 만성적인 기아(영양실조의 만연)로 고통받는 세계 인구의 비율이 증가한 것 말고도, 지구상에서 영양실조 상태에 있는 사람의 수가 7억 770만 명에서 8억 1500만 명으로 늘어났다."[2] 좋은 뉴스는 오래가지 못했다. (우리가 나중에 살펴보겠지만) 악마가 수를 세고 있었다.[3]

많은 수의 사람 — 공식 통계가 밝힌 것보다 훨씬 더 많은 수의 사람 — 이 굶주리고 있다. 기아가 먹을거리 부족에서 기인한다는 것이 지배적인 견해이지만, 그것은 훨씬 더 복잡한 문제이다. 사실 현대의 기아는 과잉생산의 문제이다.

어떻게 너무 많은 먹을거리가 기아를 야기할 수 있는가? 이 수수께끼를 이해하기 위해서는 시장과 생산과정 모두를 살펴볼 필요가 있다. 상업적 농부들은 사람들을 먹여 살릴 먹을거리를 생산하지 않는다. 그들은 시장에서 판매할 먹을거리를 생산하며, 그들은 시장에서 다른 먹을거리 생산자들과 경쟁한다. 가장 저렴한 가격으로 가장 많은 먹을거리를 생산할 수 있는 사람이 대부분의 시장 권력 – 시장을 범람시켜 다른 생산자들을 몰아내는 힘 – 을 가질 것이다. 세계 먹을거리의 대부분을 실제로 재배하는 소규모 자급 농부들은 파산과 함께 자주 기아에 빠지고 만다.

이 장에서 우리는 우리의 먹을거리 체계가 왜 과잉생산을 하는지, 그것이 어째서 자본주의적 먹을거리 생산의 핵심을 차지하게 되는지, 그리고 그것이 생산자, 소비자, 그리고 기아의 정치에 어떻게 영향을 미치는지를 다룬다. 우리는 기아와의 싸움과 관련한, 계속해서 바뀌는 공식 통계를 논의하는 것에서부터 시작할 것이다.

굶주리는 사람들 먹여 살리기:
지속되는 신화와 믿을 수 없는 통계

모든 사람에게 하루에 3000칼로리를 먹이기에 충분한 만큼의 먹을거리가 존재한다는 사실에도 불구하고, 독자적인 분석에 따르면, 오늘날 세계 인구의 3분의 1 이상이 굶주리고 있다.[4] 이는 FAO의 계산보다 거의 세 배나 많은 수치이다. 어떻게 수치가 그렇게 다를 수 있는가?

기아를 측정하는 방법은 기아를 종식시키는 방법만큼이나 논쟁적이다. 기아 종식의 약속이 이행되지 않은 것의 배후에는 다자간 조치가 실행되지 않았다는 사실이 자리하고 있다.

1996년 로마 세계식량정상회의World Food Summit에서 185개국 지도자들은 1974년 세계식량회의에서 약속했던 내용 가운데 미이행한 사항을 검토한 결과, 기아를 완전히 종식시킨다는 것은 너무나도 야심적이었다는 판단에 이르렀다. 대신 로마선언Declaration of Rome을 통해 굶주리는 사람들의 총수를 절반 — 2015년까지 4억 2000만 명 — 으로 줄이겠다고 약속했다.[5]

4년 후 발표된 밀레니엄선언Millennium Declaration은 로마선언의 공약을 훨씬 더 약화시켜, 굶주리는 사람의 **총수**를 줄이는 것에서 2015년까지 굶주리는 사람의 **비율**을 절반으로 줄이는 것으로 바꾸었다. 그동안 세계 인구가 증가했기 때문에, 이 조정은 4억 2000만 명이 아니라 2억 9600만 명의 사람들에게서만 기아를 종식시키겠다는 것을 의미했다.[6] 그런 다음 밀레니엄개발목표는 굶주리는 사람의 비율을 절반으로 줄이는 것이 개발도상국 — 인구 증가율이 가장 높은 곳 — 에만 적용될 것이라고 선언함으로써 목표를 훨씬 더 약화시켰다.[7] 이는 전 세계에 훨씬 더 많은 사람을 굶주리게 놔두겠다는 것을 의미했다.

그다음에는 통계적 완화조치를 취했다. 다시 말해 원래 합의한 목표치의 기준 연도를 2000년에서 1990년으로 소급하여 적용하기로 했다. 그 결과 부유한 서구 국가들은 (중국은 원래 밀레니엄선언의 대상이 아니었음에도 불구하고) 중국이 1990년대에 거둔 놀라운 성과 — 이 시기에 중국에서는 수백만 명의 사람이 빈곤과 기아에서 벗어났다 — 를 계산에 넣을 수 있게 되었다. 기준 연도의 소급 적용은 또한 인구 증가 기간을 확대시켰고, 그리하여 기아로부터 구한 사람들의 비율을 증가시켰으며, 밀레니엄개발목표로 하여금 그 목표의 달성을 시도하기도 전에 기아가 줄어들었다고 주장할 수 있게 해주었다.[8]

이는 기아에 대한 새로운 밀레니엄개발목표가 전 세계에서 굶주리는 사람으로 '인정되는' 사람들의 수는 4억 2000만 명에서 5억 9100만 명으로 늘렸고 기아 감소율은 연간 3.58%에서 연간

1.25% — 원래 비율의 거의 3분의 1로 — 로 떨어뜨렸음을 의미한다.

그러나 이게 전부가 아니다. 유엔은 1990년에 원래 기준선으로 사용했던 숫자를 바꾸기로 결정했다. 그것도 두 번이나.

1992년 FAO는 1990년에 개발도상세계에서 7억 8600만 명이 굶주리고 있었다고 보고했다. 하지만 10년 후, 즉 밀레니엄 개발목표에 서명한 지 1년 후 FAO는 그 숫자를 8억 1600만 명으로 재평가하고 부풀림으로써 그렇지 않았을 경우보다 굶주리는 사람들이 3000만 명 더 감소했다고 보고할 수 있게 했다.[9]

FAO는 2004년에는 기아가 8억 1500만 명으로 증가했다고 보고했다. 수정된 계산에도 불구하고, 이것은 4년 동안 굶주리고 있는 사람의 수가 단지 100만 명 감소되었다는 것을 의미했다. 기아는 실제로는 1990년에 원래 계산했던 7억 8600만 명보다도 더 늘어났다. 그러나 FAO는 1990년의 원래 수치를 다시 수정하여 8억 2400만 명으로 증가시켜서 결국 기아가 감소한 것처럼 보이게 만들었다.[10]

글로벌 먹을거리의 가격 위기 무시하기

2008년에 글로벌 먹을거리의 가격 위기가 발생했다. 그리하여 먹을거리 가격이 역대 최고 수준을 넘어섰고, 1억 5000만 명이 넘는 사람들이 굶주리는 사람들의 대열에 새로 합류했다. FAO는 기록적인 수확과 기록적인 기업 수익을 거둔 시기에 12억 명이라는 기록적인 사람들이 굶주리고 있다고 보고했다.[11] 밀레니엄개발목표의 목표치에 도달하기가 불가능해질 상황이었다.

밀레니엄개발목표의 만료 시기인 2015년이 다가오자, FAO는 다시 수치를 수정했다. 2012년에 FAO는 개발도상세계의 기아가 2008년 최고 기록인 12억 명에서 8억 5200만 명으로 감소했다고 발표했다. 이 수치는 1990년의 수치(8억 2400만 명)보다 여전히 높았으며, 이는 세계가 밀레니엄개발목표에서 점점 더 멀어지고 있음을 의미했다. 따라서 FAO는 1990년 수치를 8억 2400만 명에서 9억 8000만 명으로 다시 한번 더 조정했다. 이는 기아 비율이 1990년 23%에서 2012년에는 15%로 감소한 것처럼 보이게 만들었다. 밀레니엄개발목표에 대한 2013년 유엔 보고서는 다음과 같이 선언했다. "기아 줄이기의 추세는 이전에 생각했던 것보다 더 현저해졌고, 2015년까지 기아로 고통받는 사람의 비율을 절반으로 줄이는 목표가 가시권 안으로 들어왔다." 놀랍게도 FAO 또한 다음과 같이 진술했다. "[우리의] 방법론은…… 최근의 가격상승은 말할 것도 없고 …… 2007~2008

년의 가격급증이 기아에 미친 영향을 …… 완전하게 반영하지 않은 것이다."[12]

그렇다면 FAO는 1억 5000만 명 이상의 사람들에게 영향을 미치는 먹을거리 가격 위기를 어떻게 무시할 수 있었을까?

무엇이 측정되고 있는가?

FAO는 1년 이상 동안의 칼로리 섭취량이 주로 앉아서 일하는 생활양식에서 최소한도로 요구되는 양을 충족시키지 못하는 경우에만 굶주리는 사람으로 계산한다. 그러나 굶주리는 사람들 대부분은 힘든 육체노동에 종사하는 소농 농부들이며, 이들은 FAO가 제시하는 '앉아서 일하는' 데 필요한 최소 칼로리 기준치보다 훨씬 더 많은, 하루 3000~4000칼로리까지를 필요로 한다. 그리고 이들 농부 대부분은 여성으로, 이들은 자주 아이들을 양육하기 때문에 하루에 적어도 500칼로리가 더 필요하다.

통상적인 활동에 요구되는 정확한 (그리고 여전히 보수적인) 칼로리 수준으로 기아를 측정할 경우, 우리는 (FAO가 내놓은 2012년 보고서 부록에 따르면) 15억 명의 사람들이 굶주리고 있다는 것을 알 수 있다. 이는 유엔이 우리에게 믿게 하고자 하는 수치보다 두 배 많다.[13] 우리가 격렬한 활동에 요구되는 칼로리 수준을 기준으로 기아를 측정할 경우, 굶주리는 사람의 수는 25억 명에 달한다.

FAO는 심각한 비타민 부족과 영양결핍으로 인해 고통받는 사람들이 21억 명이라는 것을 인정하지만, 그들을 굶주리고 있는 사람들에 포함시키지는 않는다. FAO가 기아로 간주하는 것은 실제 영양분이 아니라 칼로리 섭취량이다. 그리고 1년 이상 지속되는 기아만을 기아로 정의하기 때문에, 1년 중 11개월 동안 굶주리는 사람은 기아에 포함되지 않는다.[14]

실제로 기아 통계에서 나타나는 명백한 감소분의 73%는 중국에서 나오며, 그 감소분의 대부분은 밀레니엄개발목표가 시작되기도 전인 1990년대에 일어났다. 중국의 악명 높은 '대약진 운동Great Leap Forward'이 20세기의 마지막 주요 기근 가운데 하나를 해방시켰다는 점을 감안하면, 그러한 성과는 놀라운 것이며, 서구 세계에서는 전례가 없는 것이었다. 중국이 기아에서 거둔 진전은 주로 소규모 농부들에게 토지에 대한 접근을 보장했던 토지개혁의 결과였다.[15]

25억 명이 굶주리고 있다

통계 조작을 통해 기아를 종식시키는 것은 실제로 기아를 종식시키는 것의 아주 비열한 대체물이다.

밀레니엄개발목표는 기아의 실제 정도를 드러내기보다는 오히려 숨겼다. 실제로는 15억 명에서 25억 명의 사람이 적절한 먹을거리를 공급받지 못하고 있는데, 이는 2017년에 FAO가 계산한 8억 1500만 명보다 훨씬 많은 수치이다.

밀레니엄개발목표가 만료된 후 2016년 유엔 개발 프로그램은 지속가능한 개발 목표Sustainable Development Goals(SDGs)를 도입했다.[16] 2030년까지 기아를 완전히 종식시키는 것은 17개의 야심찬 목표 중 두 번째 목표이다. 좋은 소식은 0은 통계적으로 조작할 수 없다는 것이다. 나쁜 소식은 우리가 이 목표들을 향해 나아가는 것이 아니라 그 목표들에서 멀어지고 있다는 것이다.

연간 매출이 6조 달러에 달하는 먹을거리 레짐이 기아를 종식시킬 수 없다는 것은 개발연대Development Decades(1960년대~1980년대)에 지속적인 번영을 지구 남부로 확산시키는 데 실패한 일을 고통스럽게 떠올리게 한다. 반세기 동안의 인상적인 경제성장에도 불구하고, 그리고 중간소득 국가들에서 중간계급이 증가했음에도 불구하고 빈곤이 지속되기 때문에 기아가 지속된다. 우리의 먹을거리 체계가 실패하고 있다는 것을 인정하는 것은 지난 30년간의 신자유주의 경제정책 — 자유무역협정, 공공재의 민영화, 노동법과 환경법의 규제 완화 — 에 의문을 제기하게 한다. 그것은 유전자변형생물체genetically modified organism(GMO) — 지금은 거의 25년 가까이 시장에서 판매되고 있는 — 가 기아로부터 시장을 구하고 있다는, 생명공학 부문이 큰소리치고 있는 주장에 의문을 제기하게 한다.

우리의 먹을거리 체계가 실패하고 있음을 인정하는 것은 자본주의 자체에 대해 의문을 제기하는 것이다.

먹을거리 부족: 다른 모든 신화를 먹여 살리는 신화

1980년대 중반, 연구자 프랜시스 무어 라페Frances Moore Lappé와 조셉 콜린스Joseph Collins는 기아는 신화가 아니지만 신화들이 우리로 하여금 기아를 종식시키지 못하게 하고 있다고 경고했다.[17] 그러한 신화로는 다음과 같은 것들이 있다. 기아는 먹을거리 부족과 인구과잉 때문이다; 산업적 농업만이 세계를 먹여 살릴 수 있다(유기농 농업과 생태농업은 세계를 먹여 살릴 수 없다); 자유시장, 자유무역, 식량원조가 굶주리는 사람들을 돕는 최선의 방법이다. 라페와 콜린스는 우리가 이것들을 신화로 인식하고 우리의 먹을거리 체계에 더 많은 민주주의를 도입하면 기아를 종식시킬 수 있다고 여전히 주장한다.[18] 하지만 그렇게 하기란 말처럼 쉽지 않다. 중심적이자 가장 지속되는 신화인 먹을거리 부족food scarcity 신화의 경우에 특히 그렇다. 이 신화가 다른 모든 신화의 토대를 이루고 있다.

먹을거리가 부족하다는 신화는 50년 전만큼이나 오늘날에도 강력하다. 반反기아 기관 및 개발기관과 농식품 산업의 논문과 웹사이트를 검토한 한 리뷰에 따르면, 2050년까지 먹을거리 생산을 60~70%, 심지어 100% 증가시켜 대량 기아와 굶주림을 극복하자는 요구가 끊이지 않고 있다.

그러나 그러한 요구들은 먹을거리를 파운드나 칼로리로 측정한 것이 아니라 예상된 시장 수요를 충족시키기 위해서는 얼마치의 먹을거리가 필요한지를 측정하는 계량경제학 모델로부터 추정한 것에 기초해 있다. FAO의 원래 연구의 저자들이 인정하듯이, 그러한 추정치들은 필요에 대한 예측이 아니라 수요에 대한 경제적 예측으로, 기아를 종식시키기 위한 규범적 목표로 삼기 위해 의도된 것이 결코 아니었다.[19] 게다가 계량경제학적 예측은 매우 값비싼 먹을거리인 고기의 선호에 기초하여 왜곡된 추정을 한다.

'우려하는 과학자들의 모임Union of Concerned Scientists'의 기후·에너지 프로그램 과학고문인 더그 부셔Doug Boucher는 다음과 같이 쓰고 있다. "[이] 계산방법은 고기, 특히 소고기의 칼로리나 단백질 함량을 부풀려서 계산한다. 따라서 소득이 증가하면서 글로벌 식단이 더욱 육류 쪽으로 이동함에 따라 달러로 환산된 '필요'의 예측치는 올라갈 것이다."[20] 이 같은 경제학의 작업은 앞으로 30년 동안 세계의 중간계급이 계속해서 성장할 것이고 따라서 고기에 대한 수요가 증가할 것 — 그리고 자원(주로 물, 토지, 자양분)이 고기를 생산할 수 있게 할 것 — 이라고 가정한다. 이것은 대담한 가정이다.

아무튼 간에 마치 중간계급에게 곡물을 먹인 고기를 더 많이 판매하는 것이 가난한 사람들을 먹여 살리기나 할 것처럼, 먹을거리 생산을 두 배로 늘리자는 슬로건은 여전히 계속해서 반복되고 있다. 화학 산업, 종자 산업, 곡물 산업, 가축 산업, 사료 산업이 쏟아내는 수많은 광고가 그러한 주장을 뒷받침하고 있다. 그러한 광고들은 우리로 하여금 그러한 상업 기업들을 확장하는 것이 기아 종식에 대한 세계적인 관심에 응답하는 것이라고 믿게 한다.

먹을거리 부족 신화가 지속하는 까닭은 부분적으로는 20세기에 지구에서 7000만 명이 기근과 관련하여 사망한 것에 대한 기억 때문이다. 그러나 부족이 지닌 사회심리학적 힘은 인간의 필요에 비해 시장 수요를 우선시하는 자본주의 경제체계에 구조적으로 내장되어 있다. 자본주의는 주기적으로 과잉생산 위기를 겪는 체계이자, 실제로 부족을 토대로 하여 번성하는 체계이다.

자본주의 시장에서 부족은 소비 수요가 공급을 초과할 때 발생하며, 이는 이윤율 증가에 필요한 조건이다. 반대로 공급이 수요를 초과하여 정반대 상황이 발생할 때는, 시장은 포화상태에 달하고 이윤율이 떨어진다. 이는 자본주의에서 주기적으로 발생하는 '과잉생산의 위기'를 초래할 수 있다. 이 상황에서는 재화가 판매되지 않고 쌓인다. 그러면 기업은 생산을 줄이고, 따라서 사람들이 해고되고, 경기침체가 발생한다.

과잉생산의 위기는 소규모 기업을 파산으로 몰아넣는다. 이것은 생산과 시장 권력을 보다 큰 독점기업으로 통합시킨다. 이윤폭이 줄어들면, 주주의 수익이 증발하여 주주들은 주식을 매각한다. 이것은 메가 합병을 유도할 수 있다. 이를테면 다우Dow-뒤퐁DuPont, 신젠타Syngenta-켐차이나ChemChina, 몬산토Monsanto-바이엘Bayer 합병이 현재 진행 중이며, 이는 소수의 화학회사로 하여금 세계의 상업용 종자를 독점할 수 있게 할 것이다. 그러면 새로운 시장을 개척하는 것 — 필요할 경우 무력으로 — 과 함께 새로운 제품, 기술, 규모의 경제를 도입하여 비용을 낮추고 새로운 효율성을 발견함으로써 다시 먹을거리 부족 상태를 만들어낼 필요가 있게 된다.

자본주의 먹을거리 체계의 기본 경향 — 과잉생산, 자본의 집중, 지속적 팽창 — 은 경쟁의 결과이다. 기업들은 경쟁하면서 생산을 강화하고 단위 비용을 낮춘다. 이것은 가격을 낮추어 더 많은 소비와 더 많은 경쟁을 끌어내고, 이는 시장이 포화될 때까지 더 많은 생산을 유도한다. 먹을거리 가격 위기로 이어지는, 수십 년 동안 계속된 먹을거리 가격 하락은 계속되는 먹을거리의 과잉공급을 반영한다. 물론 모든 사람이 더 많은 먹을거리를 얻는 것은 아니다. 왜냐하면 기아가 감소하는 것이 아니라 증가하고 있기 때문이다. 기아가 자주 유통과 과잉인구의 문제로 묘사되지만, 이 유효수요의 부족은 너무나도 많은 사람이 너무나도 가난해서 생산되는 모든 먹을거리를 살 수 없다는 것을 의미할 뿐이다. 왜 그들은 그렇게 가난할까?

기아는 먹을거리 부족의 결과가 아니라 과잉생산의 결과이다

먹을거리의 부족이 아니라 과잉생산이 우리의 먹을거리 체계를 특징짓는다. 지난 반세기 동안 세계 먹을거리 공급의 증가는 계속해서 필요한 먹을거리 양의 50%를 초과해 왔다. 그럼에도 불구하고 다국 간 개발기관, 농업 관련 기업, 많은 반기아 지원단체는 증가하는 세계 인구를 먹여 살리기 위해서는 세계 먹을거리 생산을 극적으로 증가시켜야 한다고 주장한다. 이 입장에 대해 비판하는 사람들은 우리는 이미 100억 명의 사람들을 먹여 살리기에 충분한 먹을거리를 재배하고 있다고 지적한다(그렇지만 우리는 여전히 기아를 종식시킬 수 없다). 더 많은 먹을거리를 재배하는 것으로 어떻게 이 구조를 변화시킬 수 있단 말인가?[21]

세계의 굶주리는 사람의 무려 70%가 농부들 — 대부분은 여성 — 이다. 실제로는 그들이 지구 농지의 25%도 채 안 되는 땅에서 세계 먹을거리의 절반 이상을 생산하고 있다.[22] 그렇다면 어째서 그들은 굶주리고 있는가? 그리고 왜 그들은 여성인가? 경제적인 답은 빈곤이다. 더 체계적인 답은 가부장제, 착취, 침탈이다.

자본주의 농업은 강력한 과잉생산 경향을 지니고 있다. 농업은 토지와 기계류에서 고정자본 비용이 매우 많이 소요되며, 농부들은 땅에 씨앗을 심는 데만도 많은 노동과 자원을 투자해야 한다. 그런 다음 수확과 판매 때까지 몇 달을 기다린다. 그 기간

동안 그들의 자본은 이동할 수 없다. 수확기에 가격이 낮더라도 농부들은 가격을 올리기 위해 생산을 늦출 수 없으며, 비용을 줄이기 위해 생산을 줄일 수도 없다. 그들은 가격 결정자가 아니라 가격 수용자이다. 돈을 잃으면 다음 해에 더 많이 생산함으로써 손실을 메꾸고 빚을 갚아야 한다. 그러나 생산을 증가시키는 것은 시장 포화로 이어지고, 그것은 가격을 훨씬 더 낮출 뿐이다. 대부분의 상업적 농민들은 파산을 피하기 위해 과도하게 차입하고 있고, 소수의 작물만을 재배한다. 물론 농부들은 곡물을 저장하고 선물거래를 하고 연계매매를 하고 얼마간의 토지를 임차하고 비용을 줄이는 등 여러 가지 방법으로 벌충하기 위해 노력한다.

그러나 농부들은 가격이 높을 때에도 역시 더 많이 생산한다. 아이오와의 농장 지도자 조지 네일러George Naylor에 따르면,

> 울타리에서 울타리까지 심으라는 현재의 자유방임 정책하에서는 농부는 항상 더 많은 양 ― 탐욕 때문이든 아니면 파산에 대한 두려움 때문이든 ― 을 생산하여 더 많이 팔기 위해 노력할 것이다. 만일 화학물질을 투입해서 비용 대비 소득을 증가시킬 수 있을 것으로 보인다면, 그들은 화학물질을 사용할 것이다. 그러나 모든 농부가 뒤따라 그렇게 할 경우 과잉생산으로 인해 가격

이 낮아지고 우리의 땅과 물의 질은 저하된다.[23]

이것은 상업적 농부들이 직면한 재정 불안정을 — 그리고 왜 과잉 생산과 팽창 경향이 자본주의 농업에서 특히 격심한지를 — 설명해 준다. 보조금, 작물보험, 상품 선물거래, 수출 인센티브는 농부들을 지원하기 위해서가 아니라 자본주의 농업의 상품체계를 유지하기 위해 설계되었다.[24] 이러한 수단들 — 그리고 바이오 연료 붐과 같은 이따금의 횡재 — 이 농부들로 하여금 만성적인 과잉생산과 낮은 가격의 폭풍을 간신히 버텨나가게 한다.

돈이 필요하기 때문에 수확 직후에 생산물 대부분을 파는 가난한 농부의 경우에는 상황이 훨씬 더 어렵다. 수확 직후는 가격이 낮기 때문에 팔기에 가장 나쁜 시기이다. 몇 달 후, 그들의 빈약한 먹을거리 비축물이 다 떨어지면, 그들은 가격이 높을 때 시장에서 먹을거리를 사야 한다. 가난한 농부들이 다른 모든 사람을 먹여 살린 후에 굶주리게 되는 것도 바로 이때이다.

지난 반세기 동안 이 문제에 대한 진부한 해결책은 녹색혁명 기술과 신용을 통해, 그리고 농민과 글로벌 시장을 연결하여 생산을 강화하는 것이었다. 하지만 이 농부들이 가난한 까닭은 기본적으로 경작하는 방법이나 자신들의 재화를 파는 방법을 모르기 때문이 아니라 한계 농지에서 아주 작은 땅을 경작하기 때문이다. 그리고 글로벌 시장은 도움이 되지 않는다. 왜냐하면 글로벌 시장의 낮은 가격은 자주 생산 비용보다도 더 낮기 때문이다.

또한 북부의 농부들과 달리 이들 농부는 보조금에 의지할 수 없다. 일단 소규모 자작농이 이러한 자본주의화된 형태의 생산, 신용, 마케팅하에 편입되면, 그들은 자본주의 농업을 특징짓는 과잉생산, 파산, 합병이라는 일반적인 추세에 노출된다. 이것이 바로 세계은행이 자신들이 개발한 농업개발 시나리오에서 자신들의 농업개발 전략이 '토지 유동성land mobility' — 대부분의 소규모 자작농이 농업을 떠나 농지를 점점 더 소수의 수중으로 계속해서 통합하는 길을 열어주어야만 한다는 것을 완곡하게 표현한 말 — 에 달려 있다는 것을 슬며시 인정한 이유이다.[25]

끝나지 않는 녹색혁명[26]

1960년대에 작물 과학자 노먼 볼로그Norman Borlaug는 록펠러 재단Rockefeller Foundation, 포드 재단Ford Foundation과 계약을 맺고 고밀도 재배, 관개, 고성분비료에 잘 적응하는 다수확 품종high-yielding varieties(HYVs)의 곡물을 개발했다. 그의 초기 성공은 서방 정부들로 하여금 국제농업연구 자문그룹Consultative Group for International Agricultural Research(CGIAR)이라는 조정기구 산하의 13개 국제농업연구센터international agricultural research center(IARC)에 구축된 대규모 연구 시스템에 자금을 지원하게 했다. 지리적으로 바빌로프 생물다양성 중심지Vavilov centers of biological diversity[니콜라이 바빌로프Nikolai Vavilov가 처음으로 식물 재배의 본고장으로 지적한 지역을 말한다_옮긴이]에 위치한 IARC들은 수천 년 동안 소농 농부들이 개발한 풍부한 품종 풀pool로부터 종자를 수집했다. 이 유전형질은 과학자들로 하여금 녹색혁명의 트레이드마크가 된 다수확 관개 밀, 옥수수, 쌀 등의 교배종을 개발할 수 있게 했다. 그러한 품종들은 합성비료와 농약에 의존해야 한다.

녹색혁명은 널리 찬양되었고 볼로그는 노벨상을 수상했다. 자세히 살펴보면, 이 영예에는 의문의 여지가 있다.

녹색혁명의 전성기(1970~1990년) 동안 1인당 글로벌 먹을거리 생산은 11% 증가한 반면, 굶주리는 사람들의 추정치는 6% 감소했다. 그러나 1인당 먹을거리 공급이 거의 8% 증가한 남아메리카에서 굶주리는 사람들의 수는 19% 증가했다. 남아시아에서는 1990년까지 1인당 먹을거리가 9% 증가했지만, 굶주리는 사람들도 9% 증가했다. (중국의 약진이 없었더라면 세계 기아

도 실제로 5억 3600만 명에서 5억 9700만 명으로 11% 이상 증가했을 것이다.)[27]

녹색혁명은 1990년대에 그것 자체로 인해 과잉생산의 위기를 겪었다. 그 당시 곡물 가격이 폭락했고, 그리하여 농민들은 더 이상 자신들에게 제공되던 모든 종자와 화학물질의 값을 감당할 수 없게 되었다. 굶주리는 사람들의 수가 8억 명으로 폭발했다.[28] 그들 가운데에는 녹색혁명 덕분에 팽창한 더 크고 더 자본효율적인 농장에 의해 축출된 수백만 명의 소농 농부들이 있었다.

녹색혁명의 사회적·환경적 약점은 그간 널리 증명되어 왔다. 그러한 약점들로는 농촌 소득의 불평등 증가, 토지와 자원의 집중, 해충 문제의 증가, 농업 생물다양성의 상실, 농장 노동자의 대량 중독, 토양염류화, 대수층의 고갈과 오염, 연약한 열대 토양의 침식 등을 들 수 있다.[29] 독창적인 연구들에 따르면, 멕시코와 인도 모두에서 HYV 종자와 비료라는 녹색혁명의 고가의 '패키지'는 경제적으로 특권 있는 소수의 농부는 유리한 위치에 놓이게 하고 대다수의 소규모 자작농은 불리한 위치에 놓이게 했고, 토지와 자원의 집중을 초래하여 농촌 불평등을 증가시켰다.[30]

농업 생산의 증가는 일부 승자와 많은 패자를 낳았다. 승자는 모든 언론의 주목을 받았다. 패자들은 농업을 떠나 도시로 이주하고 공업에서 일자리를 찾았을 것이라고 가정되었다. 많은 사람이 이동했지만, 공업은 모든 노동을 흡수할 수 없었다. 빈민가는 녹색혁명이 도입된 곳에서마다 기하급수적으로 증가했다. 다른 사람들은 자신들의 노동과 생산물 모두가 평가절하된 시골에서 근근이 생계를 유지하기 위해 노력했다. 많은 사람이 '농업 변경' — 숲의 가장자리와 취약한 산허리 — 으로 이주하여 농사를 짓기 위해 새로운 땅을 개간했다. 이 모든 시나리오는 그들을 더 심한 가난으로 몰아넣었다. 그들은 굶주렸다.

농업 강화agricultural intensification는 20세기 중반 이후 기아 종식을 위한 모든 단일 글로벌 캠페인 — 녹색혁명의 바이오테크 신판인 '유전자 혁명Gene Revolution'을 포함하여 — 의 토대였다. 이번 캠페인에서 그것은 GMO, 빅 데이터, 정밀농업을 요구한다. GMO의 기아 종식 잠재력에 관한 계속되는 대대적인 과대광고에도 불구하고, GMO 도입 후 4반세기 동안 GMO가 주로 성공을 거둔 것은 가축 사료와 자동차 에탄올 생산 분야였다. 이 산업이 가난하고 굶주리는 사람들을 먹여 살려온 것은 아니었다. 끝없이 이어지는 좋은 뉴스 서사의 이면에서 녹색혁명은 그 자신의 시장, 그 자신의 과학, 그 자신의 진리를 창조하는 한편, 소규모 자작농업을 궁핍화시킴으로써 자신이 구원

하는 것만큼이나 많은 수의 굶주리는 사람들을 만들어낸다.[31]

지금은 상승세에 있지만, 1980년대 이후 글로벌 경제성장률은 2%에도 미치지 못했다. 이는 주주들에게 기대 수익을 제공하기 위해 기업들로 하여금 합병을 하거나 재정적 해결책을 모색하게 했다. 자본은 집중되었지만, 세계의 많은 사람이 경기침체를 겪고 있다. 하지만 '경제 피라미드의 가장 아래'에 있는 가장 가난한 사람들은 연간 8%씩 성장하고 있다.[32] 이 성장은 거대한 잠재시장을 보여준다. 그렇지만 너무나도 가난해서 스마트폰, 평면 TV, 전기 자동차를 살 수 없는 사람들에게 당신은 무엇을 팔 수 있는가? 25억 명의 가난한 농부들에게 당신은 무엇을 팔 수 있는가? 그건 작은 묶음의 종자, 비료, 농약뿐이다. 새로운 유전공학 녹색혁명을 추진하는 것의 배후에 자리하고 있는 진술되지 않은 아이러니는 그것이 가난한 사람들의 먹을거리 필요에 부응하는 것이 아니라 기업의 재정적 필요에 부응한다는 것이다.

숨어 있는 기아와 영양강화의 약속

작물의 생물영양강화biofortification에 관한 연구로 세 명의 과학자가 2016년 세계식량상World Food Prize을 수상했다.[33] 생물영양강화는 콩, 쌀, 밀, 기장, 고구마, 카사바 같은 먹을거리 작물의 유전자를 조작하여 그 작물들에 아연, 철, 카로틴을 더 많이 함유시킴으로써, 표면적으로는 전 세계 20억 명 이상의 사람들에게 악영향을 미치는 '숨어 있는 기아'의 해결을 도모한다. 숨어 있는 기아는 또한 과체중과 비만에 나쁜 영향을 미칠 수 있으며, 사회적·경제적 삶의 모든 측면과 관련된다.

> 숨어 있는 기아의 결과로는 유아와 산모의 사망, 신체장애, 면역체계 약화, 지능 손상을 들 수 있다. 숨어 있는 기아가 뿌리내린 곳에서는 사람들이 살아남아 사회의 생산적 성원으로 성장하는 것을 막을 뿐만 아니라 국가로 하여금 영양부족, 건강 악화, 생산성 저하, 빈곤 지속, 경제성장 감소라는 사이클로 다시 빠져들게 한다. 이것은 먹을거리에 대한 권리뿐만 아니라 적시에 적절한 유형의 먹을거리에 대한 접근이 왜 개인의 웰빙과 국가 전체에 중요한지를 보여준다.[34]

생물영양강화 품종들은 농촌 사람들이 먹는 전통적인 작물, 이를테면 카사바와 고구마에 영양이 풍부한 유전자를 삽입함으로써 외딴 농촌 지역에서의 미량영양소 결핍을 해결하기 위해 고안되었다.[35] 농촌 사람들의 식생활에 영양분을 공급하는 것 외에도, 농촌 농업공동체를 글로벌 먹을거리 체계에 통합하는 것이 생물영양강화의 목적이다.

주요 생물영양강화 작물들은 여전히 대체로 농부에게서 농부에게로 전달되는 종자 체계에 의해 종자가 공급되고 있는 종자 시장에 기업들이 진출하는 것을 돕는 유망한 방법의 하나이기도 하다. 주요 생물영양강화 작물(뿌리 작물 및 플랜테인plantain과 같은)은 가난한 사람들에게 이익이 되는 것으로 간주되기 때문에, GMO(옥수수, 콩, 또는 면화)보다 더 쉽게 받아들여진다. 그러한 작물들은 가난한 나라의 GMO 시장을 여는 열쇠이다. 왜냐하면 그 작물들을 재배하기 위해서는 GMO를 수용하는 규정을 그 나라의 종자 법에 포함시켜야 하기 때문이다. 이러한 이유에서 생물영양강화는 여전히 상품체계 외부에서 작동하는 먹을거리 체계에 기업이 뛰어드는 것을 돕기 위해 마련된 정교화된 트로이 목마로 자주 여겨진다.[36] 지난 20년 동안 생물영양강화를 추진한 빅 플레이어에는 록펠러 재단과 신젠타Syngenta(골든 라이스Golden Rice), 뒤퐁Dupont, 몬산토Monsanto(바이오카스바 플러스BioCassva Plus), 그리고 빌 앤 멀린다 게이츠 재단Bill and Melinda Gates Foundation이 포함되어 있다.[37]

그렇다고 하더라도 적어도 생물영양강화는 자애로운 형태의 유전공학이 아닌가? 필리핀의 골든 라이스에서 일하는 실험실 기술자는 한때 내게 이렇게 확신했다. "우리는 나쁜 유전자는 쌀에 넣지 않는다. 좋은 유전자만 넣는다!"

생물영양강화에서 말하는 이른바 '좋은 유전자'는 종자 산업으로 하여금 지난 60년간의 녹색혁명 기술에도 불구하고 왜 농부들이 영양부족 상태에 있는가라는 질문을 회피할 수 있게 해준다. 그것은 녹색혁명으로 인한 단일 작물 단일경작의 확산이 체계적으로 농장의 영양 다양성을 파괴했고 그 결과 농촌 식생활이 심히 훼손되었다는 사실을 무시한다. 생물영양강화의 옹호자들은 우리에게 영양부족이 가난한 사람들의 자연적 상태라고 믿게 한다. 그들이 제시하는 치료법은 주요 작물의 종자에 영양분을 주입한 다음 그 종자를 농부들에게 판매하는 것이다.

거의 200년 전에 영국 자본에 착취당한 아일랜드 농민들은 결국에는 감자 — 가난한 사람들의 단일경작 작물 — 만을 먹게 되었다. 아무리 생물영양강화를 하더라도 백만 명이 넘는 사람을 죽인 감자 잎마름병과 '대기근'을 막을 수는 없었을 것이다. 빈곤과 착취의 상태하에 숨어 있던 기아는 곧 대량 기근으로 이어졌다. 생물영양강화의 위험은 그것이 뻔히 보이는 곳에 숨어 있는 영양실조의 원인을 놓치고 있다는 것이다.

생물영양강화의 도시 버전, 즉 영양강화 식품은 산업 식품 가

공으로 잃어버린 모든 것을 벌충하기 위해 (작물이 아닌) 식품에 영양분을 첨가한다. 1960년대에 가난한 사람들의 식생활은 값싼 가공 수입식품이 신선한 지역 먹을거리를 대체함에 따라 악화되었다. 개발도상국은 밀가루, 오일, 설탕, 마가린과 같은 주요 제품 — 이들 제품은 반기아 프로그램을 통해 이용할 수 있게 되었다 — 에 미량영양소를 추가하기 시작했다.

오늘날 네슬레Nestle, 유니레버Unilever, 펩시코PepsiCo, 켈로그Kellogg, 다논Danone, 제너럴 밀스General Mills와 같은 식품산업 거물들은 영양이 부족한 사람들에게 영양분을 판매하는 기업들이다. 이러한 추세를 지원하기 위해 2005년에 세계은행은 식품영양강화기업연합Business Alliance for Food Fortification(BAFF)을 출범시켰다. 코카콜라가 의장을 맡은 이 협력사업에는 네슬레, 하인즈Heinz, 아지노모토Ajinomoto, 다논, 유니레버 같은 글로벌 식품산업의 주요 플레이어들이 참여하고 있다.[38]

녹색혁명이 농업상품의 과잉생산을 정당화하기 위해 '먹을거리 부족의 과학science of scarcity'을 생산한 것처럼, 영양주의nutritionism는 글로벌 독점체들이 파는 주요 먹을거리 작물과 식품에 영양분을 억지로 집어넣는 것을 정당화하기 위해 '영양분 불충분의 과학science of insufficiency'을 생산해 왔다. 영양주의는 영양실조의 원인을 밝히기를 회피한 채 식생활 건강에서 영양분의 역할을 단순화하고 과장하는 환원주의적 형태의 과학이다.[39] 영양주의는 영양분이 부족한 이유를 묻지 않고 숨어 있는 기아를 부족한 영양분의 문제로 환원함으로써 (시장이 제공하는) 영양분이 풍부한 신제품을 판매하기 위한 공간을 개척한다.

기아가 미량영양분 결핍의 문제로 축소되면, 미량영양분을 제공하는 사람이 이익을 얻는다. 그리고 글로벌 먹을거리 체계가 전통적인 영양분 공급원과 궁핍한 사람들의 식생활을 파괴해 온 방식은 논의에서 제외된다. 가난한 사람들은 다양하고 완전하고 신선한 먹을거리로 구성된 건강한 식생활을 하기보다는 특별하고 영양분이 풍부한 가공식품을 식품산업으로부터 구매한다. 이것은 또한 정부와 산업계로 하여금 세계 기아와 영양부족의 원인을 토지개혁, 농업생태적 경작방식의 장려, 시장개혁, 생활임금 같은 구조적 조치보다는 기술적 해결책에 의해 해결해야 할 기술적 문제로 재조명하게 함으로써 기아와 영양부족 문제를 탈정치화할 수 있게 해준다.

생물영양강화의 개척자와 최신 기술에 정통한 식품회사들은 기아 종식은 그저 과학을 적절히 이용하는 것과 관련된 것이라고 주장한다. 이것은 기아는 유발되는 것이 아니라 그냥 발생하는 것이라고 — 그러나 과학과 산업이 종식시킬 수 있는 것이라고 — 시사한다.

사람들이 굶주리는 까닭은 그들에게 먹을거리를 살 여유가 없기 때문이지, 과학이 그들을 먹여 살릴 그 무언가를 발견하지 못했기 때문이 아니다. 농부들에게서 영양이 부족한 까닭은 그들이 더 이상 균형 잡힌 식생활을 할 수 없기 때문이다.

음식 쓰레기: 새로운 구원자?

음식 쓰레기 문제와 관련하여 많은 우려가 일고 있고, 거기에는 타당한 이유가 있다. 세계 먹을거리의 약 30~50%가 먹지 않은 채 버려지는데, 이는 연간 약 4000억 달러어치의 가치를 지닌다. 이는 세계의 굶주리는 사람들을 충분히 먹여 살리고도 남는 양이다.

음식 쓰레기는 먹을거리 생산에 사용되는 물과 에너지가 낭비되고 불필요한 온실가스(GHG)가 배출된다 — 이로 인한 온실가스 배출양은 부유한 나라들에서 배출되는 양의 10%에 달한다 — 는 것을 의미한다. 쓰레기가 매립지로 가면, 그것은 메탄을 생산하고 방출한다. 그 메탄은 쓰레기가 매립되지 않을 경우 피할 수 있는 막대한 양의 온실가스이다.[40]

미국은 먹을거리를 공급하는 데 미국 전체 에너지 예산의

10%, 전 국토의 50%, 전체 담수 소비량의 80%를 사용한다. 북미는 음식 쓰레기를 통해 매년 1650억 달러에 달하는 자원을 버리고 있다.[41]

음식 쓰레기가 전 세계적으로 한결같지는 않다. 전 세계의 먹을거리 손실과 쓰레기 가운데서 28%가 산업화된 아시아에서 발생한다. 그리고 남아시아와 동남아시아에서 23%, 북아메리카와 오세아니아에서 14%, 유럽에서 14%, 사하라사막 이남 아프리카에서 9%, 북아프리카와 서아프리카 및 중앙아프리카에서 7%, 라틴아메리카에서 6%가 발생한다. 개발도상 국가들에서는 생산과 저장 단계에서 먹을거리가 더 많이 손실되는 반면, 선진국에서는 소비 단계에서 음식 쓰레기가 더 많이 발생한다.[42]

농업에서 발생하는 생산 손실은 신선한 농산물에서 가장 크다. 농산물은 외관상의 결함과 크기 때문에 수확되지 않을 수도 있고, 날씨, 해충, 질병으로 인한 피해 때문에 수확되지 않을 수도 있다. 때로는 시장 가격이 낮아 작물을 수확하는 것이 비경제적일 때도 있다. 시장 수요에 맞는 정확한 양을 재배하기란 어렵기 때문에, 농부들은 너무 많은 먹을거리를 재배하기도 한다. 미국에서 작물을 심은 들판의 약 7%가 매년 수확되지 않는데, 이로 인해 약 1억 4000만 달러의 작물 손실이 발생한다.[43] 산업적 어업에서는 60%에 달하는 어획량이 항구에 도착하기 전에 폐기된다.

유럽과 북미에서 환경오염을 줄이고 일자리를 창출하고 먹을거리 안정성을 향상시키기 위한 수단으로 음식 쓰레기를 "줄이고 재활용하고 용도를 변경"하기 위한 프로그램들이 속속 생겨나고 있는 것은 놀랄 일이 아니다. 퇴비화와 에너지 생산에서부터 푸드 뱅크, 재가공처리에 이르기까지 모든 부문에서 음식 쓰레기 문제를 해결하는 일에 나서고 있다.

미국 식품 폐기물 챌린지US Food Waste Challenge는 2030년까지 음식 쓰레기를 50% 줄이기 위해 미국 정부와 농식품 산업이 공동으로 벌이는 민간-공공 프로젝트이다(들어본 적이 있지 않은가?).[44] 슈퍼마켓은 '못생긴 과일'을 판매하고, 유통기한이 지난 제품을 푸드 뱅크에 제공하고, 오래된 농산물을 동물 사료로 팔고 있다. 프랑스는 최근 식료품점에서 유통기한이 지난 먹을거리를 버리는 것을 금지하는 법안을 통과시켰다.

소매업의 과제는 엄청나다. 슈퍼마켓은 일반적으로 고객이 구매할 수 있는 것보다 50~100% 더 많은 식품을 선반에 쌓아놓는다. 그들이 변화를 꾀하는 것은 단순히 비즈니스 모델을 바꾸는 것 이상이다. 그것은 쓰레기 — 그리고 식품 — 를 바라보는 방식을 근본적으로 바꾸는 것을 의미한다.

음식 쓰레기가 폐기되거나 소모되는 것에서 하나의 상품으로 전환될 때, 그것은 소매업자들에게 가치 있는 일이 될 것이다. 환경적으로 볼 때, 음식 쓰레기를 막아야 하는 이유는 너무나도 많다. 그러나 소매업자가 음식 쓰레기의 가치를 발견함에 따라 음식 쓰레기는 폐기되기보다는 점점 더 많이 판매될 것이다. 하지만 음식 쓰레기가 가난한 사람들이 사 먹어야 하는 상품이 되면, 그것은 더 이상 기아를 해결하지 못하게 될 것이다.

음식 쓰레기를 하나의 제품으로 다루는 전략은 음식 쓰레기의 원인 – 과잉생산 – 이 아닌 그것의 효과에 초점을 맞추는 경향이 있다. 쓰레기는 자본주의의 과잉생산에 내재하는 것이다. 음식 쓰레기를 상품으로 전환시키거나 푸드 뱅크에 기부하는 것은 폐기물의 원인을 해결하는 데 아무런 도움도 되지 않는다. 사람들이 굶주리는 까닭은 음식이 쓰레기가 되어버렸기 때문이 아니라 그들이 가난하기 때문이다.

먹을거리: 하나의 정치적 상품

우리는 매일 먹어야 하지만, 포만감을 느끼기 전까지만 먹을 수 있다. 그리고 유제품, 과일, 채소는 상한다. 곡물은 수년간 저장될 수 있지만, 저장, 덤핑, 금융투기에 취약하다. 다른 제조된 상품에서 작동하는, 과잉생산에 대한 자본주의의 해결책(이를테면 계획된 진부화)은 먹을거리의 경우에 적용하기가 더 어렵다. 게다가 스마트폰, 자동차, 또는 최신 운동화와 달리 먹을거리는 오랫동안 하나의 특권이 아니라 인간의 권리로 여겨져 왔다. 먹을거리 없이는 노동도, 돈도, 다른 어떤 상품도 아무런 가치를 지니지 못한다.

먹을거리의 정치적·경제적 중심성은 사회가 국가를 통해서이든 시장을 통해서이든 생산과 분배를 지속적으로 관리할 것을 요구한다. 이런 이유에서 먹을거리와 농업은 거의 항상 정치적 논쟁의 대상이다. 유능한 막후인물인 헨리 키신저는 다음과 같이 뻔뻔스럽게 말하면서도 동시에 기아의 종식을 대담하게 약속할 수 있었다. "당신이 석유를 통제한다면, 당신은 나라를 통제할 수 있다. 당신이 음식을 통제한다면, 당신은 전 주민을 통제할 수 있다."

기아를 종식시키는 것 — 또는 그런 인상을 주는 것 — 은 기술적인 문제가 아니다. 그것은 승자와 패자의 정치적 싸움이다. 앞으로 살펴보듯이, 먹을거리가 생산되는 방식에 대한 통제가 기아와의 투쟁에서 핵심에 위치해 있다.

제3장

먹을거리, 환경, 그리고 체계 변화

40년도 더 전에 『성장의 한계Limits to Growth』라는 책은 서구 문명이 과잉과 붕괴를 향해 가고 있음을 경고했다. 그 책의 저자들은 컴퓨터 모델을 이용하여 자원의 한계를 확인하기 위해 낙관적인 시나리오와 현실적인 시나리오, 그리고 비관적인 시나리오를 만들었다. 그들은 지속가능한 자원관리에 대해 토론하기 위한 파라미터를 설정했다. 그 발견은 놀라웠다(그리고 논란을 불러일으켰다). '현실적'인 시나리오는 인간이 지속 불가능한 속도로 자원을 소모하고 있음을 보여주었다. 발전된 나라들의 소비 수준이 개발도상 세계로 확대될 경우, 사회 붕괴와 환경 붕괴가 일어날 수 있다는 것이 분명하게 밝혀졌다.[1]

『성장의 한계』의 종말론적 시나리오 — 그리고 그 시나리오가

조언한 자원관리 — 는 경제 확장과 자원 사용의 증대를 통해 제3세계 국가를 자본주의 블록으로 편입시키려는 냉전 전략에 정면으로 대치되었다. '히스테리적'이라는 비난을 받은 이 테제는 수많은 저명한 과학자들에 의해 신속하고 맹렬하게 비난받았다. 계속되는 논쟁 속에서 『성장의 한계』는 베스트셀러가 되었다. 그 책은 싹 트기 시작한 환경운동에 연료를 공급했고, 글로벌 환경 과제와 관련한 일련의 간행물이 쏟아지게 했다. 오늘날 『성장의 한계』를 다시 논의하는 것은 우리를 불안하게 한다. 그 책이 추정한 내용은 정확했다.

비판가들은 예측된 임계값이 계속해서 더 먼 미래로 밀려나고 있다고 지적해 왔다. 인구 증가율은 안정화되고 있고, 피크 오일peak oil[원유 생산의 정점_옮긴이]은 실체화되지 않았으며, 더 많은 토지, 자원, 기술이 생산에 지속적으로 투자되기 때문에 '피크 푸드peak food'는 여전히 실체가 없다. 그러나 자원고갈의 정점이 뒤로 미루어진다고 해서 우리가 안심해서는, 다시 말해 우리가 과잉생산과 무제한적 자원 사용의 부정적인 결과에서 눈을 다른 곳으로 돌려서는 안 된다.

크리스천 퍼렌티Christian Parenti가 지적했듯이, 석유의 가장 시급한 문제는 석유가 부족한 것이 아니라 너무 많다는 것, 그리고 글로벌 먹을거리 체계에서 석유의 무분별한 사용으로 인해 온실가스가 지구 대기를 막고 있다는 사실이다.[2] 마찬가지로 먹을거리의 문제는 먹을거리가 충분하지 않다는 것이 아니라 먹을거리를 너무 많이 생산한다는 것, 그리고 우리가 먹을거리를 생산하는 방식이 우리로 하여금 기아를 끝내지 못하게 할 뿐만 아니라 우리의 자원 예산resource budget을 고갈시키고 위험하고 관리하기 어려운 오염 부하pollution load를 초래한다는 것이다.

환경만이 먹을거리 체계가 산출하는 폐물들의 도착지인 것은 아니다. 우리의 몸 또한 먹을거리 체계에 포함되어 있는 유독한 수준의 염분, 당분, 지방, 첨가제 및 화학물질의 수령자이다. 바다, 대수층, 대기처럼, 우리는 먹을거리 체계의 쓰레기를 위한 또 다른 유독한 시궁창이 되었다.

산업적 농업은 지구의 한계를 '넘어선' 아홉 가지의 것 중 네 가지 — 지구 온난화, 생물권 보전, 토지 황폐화, 질소와 인의 순환 — 에서 핵심적인 역할을 하고 있다.[3] 많은 '윈-윈' 해결책은 성장과 보존, 이윤과 완화, 추출과 적응을 조화시킴으로써 이러한 문제들을 해결하고자 한다. 그러나 사회생태학자 머레이 북친Murray Bookchin이 30년 전에 지적했듯이,

> 자본주의 시장경제하에서 '성장의 한계'를 말하는 것은 전시사

회에서 전쟁의 한계를 말하는 것만큼이나 무의미하다. 오늘날 많은 환경주의자가 선의에서 표명하는 도덕적 경건은 다국적 기업이 말하는 도덕적 경건이 조작적인 것만큼이나 순진하다. 성장을 제한하라고 자본주의를 '설득'할 수 없는 것은 호흡을 멈추라고 인간을 설득할 수 없는 것과 같다.[4]

친親성장적인 노력이 먹을거리 체계의 환경문제를 해결하지 못하는 데에는 매우 기본적인 구조적 이유가 있다. 먹을거리 체계에 내재한 환경문제의 원인보다 그 체계가 가지는 효과에 초점을 맞출 경우, 그 어떤 조치도 상황을 더 악화시킬 것이다.

자본주의, 먹을거리, 그리고 물질대사 균열

먹을거리 체계가 초래하는 환경 피해를 제한하라는 요구는 아주 오래된 것이다.[5] 농업에 의해 숲과 토양이 황폐화된 과정에 대한 역사적 설명은 농업의 확장과 사회 붕괴의 과정에 대한 역사적 설명만큼이나 흔하다.[6] 하지만 농업이 그러한 파괴 단계를 거치는 이유나 특정 형태의 농업이 실제로 토양과 생물다양성을 향상시키고 환경 회복력을 강화할 수 있다는 인식에 대한 분석은 흔치 않다.

값싼 먹을거리, 값싼 노동력, 값싼 원료를 산업에 공급하기 위해 전통적인 먹을거리 생산양식을 식민화한 결과, 17세기에 자본주의가 완연히 출현했다. 초기 자본주의는 공유 토지를 사유화함으로써 시골에서 도시로의 폭력적인 지리적 전환을 추동했고, 이는 수백만 명의 농민을 궁핍화하고 축출하여 산업에 공급할 막대한 값싼 노동 풀labor pool을 창출했다.

그러나 모든 농부가 도시로 간 것은 아니었다. 일부는 시골에 머물면서 자급 작물을 재배하고 대농장에서 임금노동을 했다. 농민-노동자들은 여전히 자신들의 먹을거리의 많은 것을 직접 재배했기 때문에 그들에게 지불되는 임금은 낮게 유지될 수 있었다. 섬유 노동자들은 주로 빵 — 이것 역시 식민지에서 수입했기 때문에 대체로 싸게 만들어졌다 — 에 의존하여 생활했다. 농촌 사람들은 산업에 엄청난 먹을거리와 노동 보조금을 제공했다. 자급 농업이 자본집약적인 농업에 종속되는 이 같은 '기능적 이중성functional dualism'의 패턴은 오늘날까지도 계속 살아남아 있다.

자본주의는 사람과 자연을 분리시켰고, 그 둘을 서로 대립하는 힘으로 규정했다. 즉, 사람의 역할은 자연을 정복하는 것이었다. 자본주의는 또한 '물질대사 균열metabolic rift'을 초래했다.

다시 말해 도시 집중은 자양물이 시골에서 도시로 일방적으로 흘러들게 했고, 도시에서 그 자양물들은 낭비되어 강, 호수, 바다를 오염시켰다.

식물 물질의 주요 영양분을 분리해 낸 독일 화학자 유스투스 폰 리비히Justus von Leibig는 합성비료를 생산할 수 있는 토대를 마련했다. 아이러니하게도 이 '화학농업의 아버지'는 자양물의 재순환을 주장했다. 그는 "합리적 농업은 비옥한 상태를 들판에 되돌려"줄 것이라고 주장했다.

폰 리비히는 「시의 오수 이용에 관해 런던 시장에게 보낸 편지Letters on the Subject of the Utilization of the Municipal Sewage Addressed to the Lord Mayor of London」(1865년)에서 인간과 동물의 배설물로 인한 시의 오염과 토양의 자연 비옥도 고갈이 서로 연결되어 있다고 주장했다. 그는 비합성 자양물을 토양으로 되돌려주는 유기적 재순환은 합리적 농업체계에 필수불가결한 부분이라고 주장했다.[7]

리비히의 연구를 연구한 카를 마르크스Karl Marx는 한 걸음 더 나아가서 다음과 같이 주장했다.

> 자본주의 농업에서 일어나는 모든 진보는 노동자를 수탈하는 기술에서의 진보일 뿐만 아니라 토양을 수탈하는 기술에서의

진보이다. 일정 기간에 토양의 비옥도를 높이는 데서의 모든 진보는 보다 오랫동안 지속되는 비옥도의 원천을 파괴하는 데로 나아가는 진보이다. …… 그러므로 자본주의 생산은 모든 부의 원천인 토양과 노동자를 동시에 훼손시킴으로써만 생산기술을 발전시키고 생산의 사회적 과정을 얼마간 결합시킨다.[8]

초기 자본주의 농업은 물질대사 균열이 유발한 비옥도 하락의 문제에 봉착하자 뼈를 비료로 쓰기 위해 묘지와 옛 전쟁터를 파헤쳤다. 그다음에 새로운 땅이 정복되었다. 노예, 죄수, 계약 노예 노동의 도움으로 식민지는 풍부한 먹을거리, 자연 자원, 비옥한 자연, 그리고 (질산염이 풍부한) 구아노를 제공했다. 이것들 모두가 우크라이나의 밀밭부터 아메리카의 사탕수수 밭까지에서 물질대사 균열을 초래했다.

대량학살, 노예제도, 계약 노예제도를 통한 인간 몰살과 착취는 식민지에 토지와 자원을 '원시적으로 축적할' 수 있는 길을 열어주었다. 이 새로운 농업 부富는 산업과 금융으로 흘러들어, 더 많은 군사 활동과 제국주의 확장에 자금을 공급했다. 주요 작물 가운데서 옥수수, 쌀, 감자, 설탕, 커피, 차는 글로벌 상품으로 전환되어 지구 전반의 먹을거리 풍경을 변화시켰고, 식민지 먹을거리 레짐이 된 것의 두 기둥, 즉 칼로리와 금융을 형성했다.

농업 상품은 제국주의의 중심지들로 집중되었다. 식민지는 산업혁명에 연료 — 산업 벨트를 위한 가죽에서부터 굶주리는 산업 노동자의 실신을 막아주는 당분과 카페인에 이르기까지 — 를 공급하기 위해 값싼 먹을거리와 자원을 제국에 공급할 것을 강요받았다. 그리하여 식민지 먹을거리 레짐이 도래했다.

세계 먹을거리 체계에서 전 세계적으로 이용되는 막대한 노동력과 자연 자원은 전 세계적으로 자원 예산을 줄일 수 있게 해주면서 동시에 오염 부하를 급격히 증가시켰다. 세계시장의 호황과 불황은 계속해서 농업으로 하여금 더 많은 숲을 개간하고 평원을 갈아엎고 늪에서 물을 빼고 가파른 언덕을 더 높이 기어오르게 함으로써 토양의 고갈·사막화·폐기를 초래했다. 이를테면 사하라가 솟아올랐고, 아마존이 사라졌고, 미국에서 더스트 볼Dust Bowl[1930년대 중반에 발생한 가뭄 동안 풍식에 의해 표토가 훼손된 미국 중남부 지역_옮긴이]이 발생했고, 펀자브 지방에서는 대수층이 감소했다. 이처럼 자본주의의 먹을거리 레짐은 자본 확장의 필요성을 충족시키기 위해 생태계를 파괴해 왔다.

오늘날에는 먹을거리 체계에서의 생산과 소비 간의 균열이 지하수, 강, 해양을 오염시킬 뿐만 아니라 농지 자체를 오염시키고 황폐화하고 있다. 산업적 농업이 토양의 자연 비옥도를 고갈시킴에 따라 식물이 이용할 수 있는 양보다 훨씬 더 많은 합성비료가 투입된다. 옥수수에 사용되는 질소는 단지 절반만 이 옥수수로 흡수된다. 나머지는 유출되거나 달라붙거나 휘발되어, 질산화와 온실가스에 한몫한다. 물 자원 예산과 일부 주요 자양물 역시 위험할 정도로 감소하고 있다. 현재 속도라면 우리가 파악하고 있는 고급 인의 매장량은 세기말쯤에 고갈될 것이다.[9]

유기 농업을 제외하면, 오늘날 합성비료 없는 자본주의 농업은 생각조차 할 수 없다. 하지만 멕시코만의 저산소 '데드존'이 입증하듯이, 물질대사 균열은 도시와 농촌의 오염만 낳은 것이 아니다. 자본주의 농업은 현재 해양 오염의 주요한 원인 가운데 하나이다. 그러나 오염은 자본주의 농업의 비합리성을 보여주는 방식 중 단지 하나일 뿐이다. 합성비료, 살충제, 제초제에 대한 대대적인 의존은 단일경작의 확산을 촉진하고, 이는 농업 생물다양성과 회복력을 상실시키고, 소수의 대규모 소유자의 수중에 농지를 집중시킨다.

자본주의 농업의 균열과 쳇바퀴

자본주의 농업은 처음에는 인간과 농업을 분리시키고 그다음에 동물과 식물을 분리시켜, 1차 및 2차 생산자와 인간 간의 자양물 순환을 단절시켰다.[10] 이 분리는 자본이 농업 자체에 투자함으로써가 아니라 자본이 먹을거리 가치사슬을 따라 상류 활동과 하류 활동에 투자함으로써 일어났다.[11] 먹을거리의 가치 중에서 가장 큰 몫을 차지하는 것은 농식품 산업 — 보다 구체적으로는 상류에서는 농장 투입물(종자, 화학물질, 농기계) 공급업체, 하류에서는 포장업체, 가공업체, 소매업체 — 이다.

1950년대에는 농부들이 보통 먹을거리 달러의 40~50%를 가져갔지만, 오늘날 그들이 차지하는 몫은 20%도 채 안 된다. 농식품 부문이 여기서 차지하는 권력은 상당하며 계속해서 증가하고 있다. 미국에서는 20만 개가 조금 안 되는 도매업체, 제조업체, 소매업체, 그리고 식품 및 음료 회사가 3억 명의 소비자를 위해 300만 명의 농부가 생산하는 먹을거리의 흐름을 통제한다. 세계적으로 가장 강력한 플레이어는 월마트, 테스코, 까르푸 같은 거대 슈퍼마켓 체인이다.

슈퍼마켓 선반에서는 수많은 서로 다른 브랜드가 발견됨에도 불구하고, 식품산업은 고도로 집중되어 있으며 농업에 엄청난 균일성을 요구한다. 식품은 표준화된 대량의 단위로 구매된다. 먹을거리 상품의 표준화는 농업으로 하여금 소수의 상업적 품종이 지배하는 여섯 개의 주요 곡물 작물을 집중적으로 생산하게 해왔다.

먹을거리의 표준화는 단일 작물의 단일재배에 의존한다. 이 재배방식은 생태적으로 보다 건전한 복합 경작방식인 (이를테면 곡물, 사료, 콩과류 같은 곡물의) 윤작을 파괴하고, 일 년 중 몇 달 동안 토양을 맨땅으로 방치한다. 농부들은 점점 더 큰 지역을 경작하기 위해서는 더 새롭고 더 큰 농기계를 구입해야 한다. 농장 관리를 단순화하고 노동비용을 낮추는 무언가 — 일부 GMO 곡물처럼 — 가 농부들에 의해 채택될 것이다. 왜냐하면 농부들은 농업경제학자 존 이커드John Ikerd가 '기술 쳇바퀴 technology treadmill'라고 부르는 것에 올라타기 때문이다.

> 그러한 기술은 항상 더 많은 자본을 요구하지만, 노동과 관리를 줄여서 각 농부가 총생산량을 늘리면서도 단위당 생산비용을 줄일 수 있게 해준다. 하지만 점점 더 많은 농부가 그러한 새로운 기술들을 채택함에 따라 생산이 증가하고, 그리하여 가격이 떨어진다. 가격 하락은 다시 초기 채택자의 수익을 없애버리고, 채택을 거부하거나 너무 늦게 채택한 사람들을 퇴출시킨다. 이 '기술 쳇바퀴'가 주기적으로 되풀이되는 과잉생산을 야기해 왔고, 수십 년 동안 농부들로 하여금 토지를 떠나게 해왔다.[12]

기술 쳇바퀴에서 빠뜨릴 수 없는 것이 '화학 쳇바퀴chemical treadmill'이다. 농업에서 농부가 처음에 화학 농약을 채택한 것은 화학 농약이 병충해를 줄여주어 수익을 증대시켜 줄 것이라는 약속 때문이었다. 그러나 합성농약과 비료의 계속된 사용은 결국에는 비용을 증가시킨다. 왜냐하면 해충이 화학물질에 내성을 갖게 되고 비료가 토양에서 자연 비옥도를 고갈시키기 때문이다.

2차 해충(전에는 주요한 해충이 아니었지만 광범위한 농약 사용으로 인해 그 해충의 천적이 전멸함에 따라 주요 해충이 된 생물체)의 창궐과 비료 남용으로 인한 토양 황폐화는 작물들을 질병에 더욱 취약하게 만든다. 화학물질의 계속된 사용에 대응하여 '슈퍼 박테리아'와 '슈퍼 잡초'가 생겨남에 따라, 농부들은 잡초와 곡물 피해를 막기 위해서는 매년 점점 더 많은 화학물질을 구입하는 것 말고는 선택지가 거의 없게 된다.

농부, 농장 노동자, 농촌 거주자는 결국 기계 생산 및 화학물질 사용(글리포세이트glyphosate와 같은 제초제를 포함하여)과 관련된 위험 — 그 위험이 경제적인 것이든, 환경적인 것이든, 또는 건강과 관련된 것이든 간에 — 을 부담하는 사람이 된다. 반면 그 이익의 대부분은 농외 농식품 기업에 축적된다. 농부와 달리 농장 투입물 공급 부문은 농부들의 수익 여부와 무관하게 자신들의 제품이나 기술을 팔 때 수익을 얻는다.

농부들이 그 쳇바퀴에서 뛰어내릴 수 없는가? 그것은 결코 단순한 일이 아니다. 상품시장은 상품을 산다. 다른 작물을 재배하고 싶어 하는 (또는 다르게 재배하고 싶어 하는) 농부들은 새로운 공급자를 찾아서 자신들의 재화를 공급할 새로운 시장을 구축해야 한다. 상품은 고립적으로 존재하지 않는다. 상품은 특정 형태의 산업 생산의 일부이고, 산업 생산은 균일성과 다량의 물건을 요구할 뿐만 아니라 회복력이 낮은 특정한 경작체계 — 생물다양성이 거의 없는 — 를 만들어낸다.

생태학적으로 볼 때, 일단 산업적 농업이 농장 경관을 방대한 단일경작 사막으로 전환시키고 나면, 합성비료, 살충제, 제초제 없이 경작하는 것은 불가능하다. 이 쳇바퀴가 환경에 초래하는 결과는 먹을거리 체계의 네 가지 생태 기둥 — 토양, 물, 생물다양성, 기후 — 에서 입증된 것처럼 파국적이다.

토양

세계 경작지의 3분의 1이 침식, 염화 작용, 압밀 작용, 산성화, 화학적 오염으로 인해 점차 심하게 황폐화되고 있다. 농업은 매년 약 750억 톤의 곡물을 생산할 수 있는 토양을 잃고 있다. 토양 침식, 황폐화, 사막화로 인해 아프리카의 농업 생산성은 50%, 아시아의 농업 생산성은 20%가 감소했다.[13] 토양 기반 생태계 서비스의 전 세계적 손실은 매년 6조 3000억 달러에서 10조 6000억 달러 사이인 것으로 평가된다. 이는 식품산업의 연간 자체 판매량보다 더 많은 액수이다.[14]

식량농업기구(FAO)가 내놓은 보고서 「세계 토양자원 현황 Status of the World's Soil Resources」은 토양의 황폐화를 일으키는 요인들의 하나로 유기물질을 충분히 추가하지 않는 집약경작 intensive tillage과 같은 농업 관행을 열거하고 있다. 이러한 농업 관행은 CO_2로서의 토양 탄소를 순 손실시켜 토양이 쉽게 침식하게 만듦으로써 토양 침식을 가속화한다. 질소 비료의 과도한 사용으로 생기는 아산화질소(N_2O) 또한 기후변화의 주범이다. 이 보고서는 또한 세계 육류 소비의 증가와 동력으로서의 바이오 연료의 확산에도 토양 황폐화의 책임을 돌린다.

FAO는 한편으로는 이러한 세계적 추세가 불가피하다고 가정한다. 그러면서도 FAO는 다른 한편으로는 현재의 먹을거리 생산 모델은 지속가능하지 않다고 시사한다. 이 딜레마를 해결하기 위해 FAO는 '지속가능한 토양 관리'체계를 제안한다. 그러나 각국 정부는 1930년대 이후 그러한 관행을 반복적으로 도입해

왔다. 그렇다면 왜 그러한 관행이 계속해서 폐기되고 있는가?

이 수수께끼에 대한 답은 산업적 농업의 기원과 두 번째 글로벌 먹을거리 레짐에서 찾을 수 있다.

제2차 세계대전 이후 폭발물에 사용되었던 엄청난 양의 질산염 재고가 값싼 비료로 전환되었다. 합성 투입물은 곧 값싼 석유, 저금리 금융, 새로운 농기계와 함께 산업적 농업의 급속한 확장을 촉진시키는 하나의 규범이 되었다. 산업화된 나라에서 농장이 더 이상 농화학 산업이 생산하고 있던 모든 비료와 농기계를 구입할 수 없게 되었을 때, 포드 재단과 록펠러 재단은 개발도상국에 녹색혁명 — 산업적 농업을 제3세계에 확산시키기 위한 캠페인 — 에 필요한 자금을 지원했다.

그러한 지원은 잉여 화학물질, 기계류, 새로운 교배종 종자 제품을 수출할 수 있는 시장을 열어주었다. 그리하여 농업 토양에 질소, 인, 칼륨(NPK)이 광범위하게 사용되면서 지피작물 재배, 간작, 콩과류 식물과의 릴레이 경작 관행이 사라졌다. 그리고 트랙터가 짐수레 끄는 동물을 대체함에 따라 콩과류 식물에 기초한 사료를 생산하는 데 필요한 토지가 줄어들었다. 이것은 곡물 재배와 가축 생산을 분리시켜 단순화된 윤작, 단일경작, 대규모 사육장을 낳았다. 이것은 또한 동물 분뇨를 비료와 토양 개량제로 사용하는 관행을 사라지게 했다. 농업은 곤충과 질병이 유발하는 피해에 대해 식물이 내성을 가지는 것을 돕는 유기물질과 미량영양소의 원천을 잃었다.

농약 생산은 1945년 0.1톤에서 1980년에는 300만 톤으로 증가했다. 해충 피해는 보조를 맞추어 증가했다. 전후에 농약 사용은 CO_2, N_2O, 메탄의 배출과 나란히 급증했다. 물과 에너지의 사용, 그리고 해양의 산성화 모두가 마찬가지로 급증했는데, 이는 점점 더 많은 토지가 산업적 농업 생산에 이용되면서 자원이 고도로 이용되고 오염이 증가했음을 보여준다.[15]

양차 세계대전에 뒤이어 출현한 전후 먹을거리 레짐은 합성화학물질과 기계류를 통상적으로 사용할 수 있게 했을 뿐만 아니라 또한 농업을 단순화하고 탈숙련화했다. 지구 북부의 엄청난 잉여 곡물들이 지구 남부로 수출되었고, 이는 식민지 먹을거리 레짐이 세 세기 동안 확립해 놓은 남부에서 북부로의 곡물 흐름을 역전시켰다. 높은 보조금을 받고 이루어진 북부의 곡물 수출은 남부의 수많은 농민 농장을 급속히 파괴했다.

일반적인 통념과 달리, 농민 농업, 토착 농업, 소규모 자작 농업은 본래 비생산적이지 않으며, 반드시 토양과 환경을 저하시키지도 않는다. 이들 농부가 변경의 천수답으로 밀려나서 점점 더 작은 땅을 경작하는 것은 사실이다. 그로 인한 토양 황폐화와 수확량 감소는 합성비료의 도입으로 단지 일시적으로 상쇄

되었다. 오늘날에는 품종의 유전적 활력이 아니라 메마른 토양과 부족한 물이 소규모 자작 농업에서 생산을 제약하는 가장 큰 요인이다. 이것이 바로 토양 복원과 보전이 자주 소규모 자작 농장의 농업생태학적 복원에서 첫 번째 단계가 되어야 하는 이유이다.

오늘날의 농업생태학은 소규모 자작농들이 토양을 복원하고 (자신들을 파산시킨) 녹색혁명의 화학적 '쳇바퀴'에서 스스로 탈출하기 위해 분투하면서 발전했다. 농부들은 농업생태학에 의거하여 가축 분뇨, 퇴비, 콩과류 식물, 지피작물을 이용해서 자양분을 제공하는 한편, 유기물질 수준을 증가시켜 토양 수분을 유지하고 토양 표면을 보호한다. 풀이 무성한 습지대, 그리고 계단식 논과 밭은 토양과 물을 보존하는 데 이용된다. 잡초는 사이갈이, 윤작, 지피작물 심기, 사이 심기, 짚 깔기를 통해 관리된다. 해충은 섞어 심기를 하여 포식자를 끌어들임으로써, 다시 말해 윤작, 간작, 해충 유인 작물과 방제 작물을 이용해서 해충 주기와 해충 매개체를 차단함으로써 관리된다. 가뭄, 혹한, 홍수에 맞서 위험을 분산시키고 먹을거리의 안정적인 공급을 보장하기 위해 혼합경작을 하고 지역에 적합한 풍부한 일련의 원시 품종에 크게 의존하는 동시에, 미시기후microclimate[주변 지역과는 다른, 특정한 좁은 지역의 기후_옮긴이]를 관리하고 다양한 형태의 혼농임업agroforestry을 실행하고 축산업을 다양화한다. 이 모든 것은 토양을 복원하고 풍부한 먹을거리를 생산할 뿐만 아니라, 탄소를 포획하고 우리의 먹을거리 체계에서 기후 회복력을 구축한다.

농업 생산으로 인해 초래되는 토양 황폐화는 모든 농장 — 크든 작든 간에, 그리고 현대적이든 전통적이든 간에 — 에서 발생할 수 있다. 그러나 토양 황폐화는 불가피한 것이 아니며, 보전 관행들도 잘 알려져 있다. 그러한 관행을 따르지 않는 이유는 녹색혁명에 의해 발전된 기술 패키지 및 자본주의 먹을거리 체계의 시장 압력과 관련되어 있다. 왜냐하면 그것들은 토양으로부터 가능한 한 많은 가치를 짜내는 것을 목적으로 하기 때문이다.

토양 복원의 핵심은 농업생태계를 복원하는 것이다. 농업생태계 복원의 열쇠는 세계의 소규모 자작농 — 세계 먹을거리의 대부분을 생산하는 농부들 — 과 협력하는 것이다.

물

농업 유출수는 토양을 고갈시킬 뿐만 아니라 많은 양의 질소와 인을 강, 호수, 바다에 퇴적시켜 녹조를 유발한다. 조류藻類

가 죽으면, 그것의 분해과정에서 물의 모든 산소를 소모하여(저산소증을 초래하여), '데드존'이라고 불리는 지역에서 물고기와 갑각류가 대량으로 폐사한다.

20세기 중반부터(대략적으로 합성비료가 확산된 이후부터) 전 세계에서 데드존이 1000%나 늘어났다. 오늘날에는 406개의 데드존이 영국보다 더 큰 지역을 덮고 있다. 널리 알려진 데드존으로는 멕시코만(2만 2729km^2, 뉴저지 크기), 체서피크만(7.25km^3), 발트해(6만km^2)가 있다. 미국에서는 산업적 육류 생산의 증가가 문제의 근원이다. 옥수수와 콩 플랜테이션(사료용)에서 나오는 비료 유출수와 대규모 밀집가축사육시설에서 배출되는 폐수가 데드존을 급격하게 키운 주범이다.[16] 해수 온도 상승은 이 현상을 악화시키고 있다.

기후변화에 의해 가뭄이 더 빈번해지고 더 격심해짐에 따라, 농부들은 작물에 물을 주기 위해 우물을 더 깊이 판다. '화석'수 化石水 — 강우로 재충전할 수 없는 오래된 지하 수원지 — 가 주로 가축을 먹이고 바이오연료를 생산하는 용도로 재배되는 작물에 물을 주기 위해 빼내지고 있다. 캘리포니아의 아몬드 과수원과 아이오와의 옥수수밭에서부터 인도 북부와 북중국 평원의 밀밭에까지 이르는 광대한 지역에서 농업은 이러한 재생 불가능한 대수층을 빠르게 고갈시키고 있다. 그것들은 한번 사라지면,

영원히 사라진다.

20세기 내내 미국 농업은 연간 10km^3 미만의 물을 퍼냈다. 2000년 이후에는 매년 25km^{3}씩 물을 퍼내고 있다.[17] 인도의 유명한 펀자브 지역 — 녹색혁명의 심장지대 — 은 10년도 안 되어 인더스강 평야 대수층에서 109km^{3}의 물을 잃었다. 인도 북서부에서는 43만 8000km^{2}가 넘는 지역에서 수위가 연간 30cm씩 떨어지고 있다. 농업을 위해 관개를 하는 것이 이 지하수 고갈의 주된 원인이다.[18] (수압 파쇄는 물 고통을 가중시키고 있다. 천연가스정의 3분의 1 이상이 지하수 고갈로 고통받는 지역에 있다.)

토양과 물을 보존하는 확실하고 진정한 방법은 잘 알려져 있다. 그 방법들 대부분은 수세기 동안 실행되어 왔다.

- 토양 수분을 흡수하고 보존하도록 유기물질을 높은 수준으로 유지한다.
- 빗방울의 침식 작용을 방지하고 증발을 줄이기 위해 계속해서 토양을 덮어준다.
- 등고선 도랑, 방벽, 제방, 저습지, 계단식 논을 통해 침식 유출을 막고 물을 보존한다.
- 토양을 유지하기 위해 뿌리 깊은 다년생 작물을 재배하고 섞어 심기를 한다.

• 부분적 그늘을 만들어준다(나무, 관목을 통해, 그리고 옥수수·콩·호박의 '세 자매' 조합과 같은 특정 작물을 결합하여 재배함으로써).

수십 년 동안 전 세계의 소규모 자작농들은 이러한 형태의 농업생태학적 관리를 통해 농장 회복력을 구축해 왔다. 이러한 회복력은 중앙아메리카와 쿠바에서 파멸적인 허리케인이 발생한 이후 입증되었다. 지속가능한 농업을 위한 '농부에게서 농부에게로Campesino a Campesino' 운동에 참여하는 농부들은 자신들의 재래식 이웃보다 작물 피해가 적었고 침식도 적었으며 산사태와 도랑 생김도 적었다는 것을 발견했다. 그들은 폭풍의 영향에 내성을 가질 수 있었고, 그 여파에서 더 빨리 회복되었다.[19]

농업생태학적으로 관리되는 체계가 지닌 보다 우수한 회복력은 거듭 입증되었다.[20] 농업생태학의 전체 체계 접근방식whole system approach은 기후 회복력 면에서 (허리케인 앞에서 무익한) '가뭄에 강한' 종자보다 훨씬 뛰어났다. 산업이 채택한 단일 유전자, 단일 형질, 단일 작물 접근방식과 달리 농업생태학은 전체 농업 체계에 다각화된 구조적 회복력을 구축하여, 농부들이 홍수, 가뭄, 폭염, 한파, 해충 창궐, 심지어는 시장 변동성에 대처할 수 있게 해준다.

불행하게도 이러한 방법들 거의 모두가 산업적 농업의 지배적인 모델과 배치된다. 기후변화에 대처하기 위해 개발된, '가뭄에 강하고' '기후-스마트한climate-smart' 유전자 변형 종자가 지닌 잠재력에 대한 기업의 대대적인 광고는 농장체계 전체가 아닌 품종에만 초점을 맞춘다. 농업 관련 기업들이 기후와 관련된 일련의 광범한 악천후에 대처하는 체계 접근방식의 방법에 대해 침묵하는 이유는, 기후-스마트 종자가 농업 관련 기업 독점체들이 판매하는 상품인 반면 농업생태적 방법은 자유롭게 공유되는 지식이기 때문이다.

산업적 농업의 확산은 토양과 물을 보존하는 확실하고 진정한 관행들을 쫓아내었을 뿐만 아니라 세계의 농업용수를 고갈시키고 오염시켜, 전체 지역이 가뭄에 취약하게 만들었다. 산업과 종래의 농업과학이 장려하는 '기후-스마트' 종자는 가뭄에 대해 산업적 농업이 갖는 체계적 취약성을 해결하기에 충분하지 않을 뿐만 아니라, 물이 왜 문제인지에 대한 질문을 피함으로써 물 부족의 구조적 동인 또한 무시한다.

생물다양성

막대한 양의 탄소 배출로 인해 지구의 여섯 번째 대멸종은

2100년경에 가능성의 영역에서 개연성의 영역으로 이동할 것이다. 이것은 다음 멸종이 일어날 것인가라는 **여부**의 문제가 아니라 언제 ― 다음 1만 년 동안의 어떤 때에 ― 일어날 것인가라는 **시점**의 문제이다. 티핑 포인트tipping point는 해양이 흡수하는 약 310기가톤이라는 탄소의 양이다. 인간의 활동은 이 탄소량을 2100년까지 대기에 추가하게 될 것으로 추정된다.

이 시나리오는 끔찍하다. 하지만 집약농업 생산으로 인한 멸종은 이미 발생했고, 지금도 계속되고 있다. 카리스마 넘치는 수많은 거대 동물들(고래, 코끼리, 사자, 코뿔소, 고릴라 등을 포함하여)이 계속해서 사라지고 있음을 몹시 한탄하는 와중에 일어나고 있는 '곤충의 대소멸Great Insect Die-Off'은 우리가 실감하는 것보다 더 빨리 우리가 대멸종의 길로 가고 있음을 암시한다.

지난 4세기 동안 13만 종의 무척추동물이 사라졌는데, 이는 주로 서식지 상실로 인한 것이었다. 하지만 보다 최근에는 멸종이 전례 없는 속도로 증가했다. 독일에서 농업 지역에 둘러싸인 자연보호구역에서 실행한 연구들은 1990년 이후 날아다니는 곤충의 75%가 감소했음을 보여준다. 이 분석은 농약이 원인이라고 시사한다.[21] 곤충은 '광산의 카나리아'이다. 먹이사슬에서 곤충이 차지하는 위치 때문에, 막대한 곤충이 죽어 없어지는 것은 새, 물고기, 포유동물에게 부정적인 먹이사슬 연쇄 효과trophic cascading effect를 초래할 것이다.

녹색혁명이 시작된 이래 세계 농업 생물다양성의 70% 이상이 이미 사라졌다. 현지 내 다양성in situ diversity이 사라졌을 뿐만 아니라(수천 년 이상 동안 농부들이 개발하고 저장하고 심어온 종자들이 단지 소수의 품종만 갖는 다섯 개의 상품 작물로 대체되었다), 그러한 품종들을 재배하는 방법, 최대한의 회복력과 생산성을 확보하기 위해 그러한 품종들을 섞어서 심는 방법과 관련한 지식도 사라졌다.

교배종 품종으로 전환되는 것과 함께, 토종 종자는 국제농업연구센터들과 노르웨이에 있는 스발바르 국제 종자 저장고Svalbard Global Seed Vault에 현지 외ex situ로 저장된다. 이러한 임시변통적 보존조치는 종자 다양성 상실의 배후에서 작동하는 원인을 다루지 않는다. 게다가 현지 외 종자는 현지 내 종자처럼 변화하는 환경조건에 적응하지 못한다. 수세기에 걸쳐 전통적인 농부들은 작물의 본고장들(바빌로프 유전자 다양성의 중심지들)에서 다각화된 농업체계를 통해 종자를 개발했다. 본고장에서 재배된 작물들의 야생 근연종wild relatives은 오늘날에도 유전적 회복력의 원천이다.

많은 농부가 정부의 어떠한 지원도 없이 전통적인 원시 품종을 계속해서 재배하면서 그 품종의 야생 근연종을 보존하고 있다. 이 종자의 현지 내 보존은 기후변화에 끊임없이 적응하는 역동적이고 살아있는 농업 생물다양성의 유전자 풀을 유지할 뿐만 아니라 세계의 유전자 유산에 대한 통제를 탈중심화하고 민주화한다. 우리가 종자를 보존하고자 한다면, 종자를 보존할 수 있는 농부들을 보존해야 한다.

녹색혁명의 지지자들은 농업 생물다양성의 상실을 단지 종자의 유전자 다양성을 잃는 문제로만 간주하며, 따라서 현지 외 종자 은행을 하나의 해결책으로 제시한다. 그러나 농장 재배 품종의 상실은 곤충, 무척추동물, 새 및 기타 동물 종에서 종 다양성의 기초가 되는 훨씬 더 큰 야생 근연종, 황무지, 서식지 다양성이 상실된다는 것을 의미한다. 대멸종에서 농업의 역할은 널리 인정되는 것보다 더 큰 영향을 미친다.

기후변화

농업과 자본주의를 연구한 고전 정치경제학자들은 물질대사 균열의 가장 되돌릴 수 없는 결과, 즉 지구 온난화를 예측할 수 없었다. 산업적 작물 생산은 전 세계 온실가스의 14% 이상에 직접적인 책임이 있다.[22] 그 이유 중 하나가 사용된 비료의 50%

가 결국 대기나 지역 수로로 들어간다는 것이다. 축산은 온실가스의 18%를 생산한다.[23] 산림 벌채 — 그중 많은 것이 농업에 자리를 내주기 위해 실행된다 — 는 전 세계 배출량의 18%를 차지한다.[24] 애니 샤턱Annie Shattuck이 지적하듯이, "우리가 먹는 것은 세계의 모든 비행기, 기차, 자동차보다 더 많은 탄소 오염에 대해 책임이 있다. 숲과 들판이 농업으로 전환되기도 하고 농업이 직접 오염을 유발하기도 하기 때문에, 우리가 먹는 것이 기후변화에 한몫하는 모든 가스의 거의 3분의 1을 차지한다."[25]

농업을 위한 토지 개간은 온실가스의 주범 중 하나이다. 환경에 대한 통념은 삼림 벌채로 인해 매년 방출되는 1.7~2.4기가톤의 탄소에 대한 책임을 소농 농부들에게 돌린다. 20세기 후반기 동안에 소농 농부들이 아마존과 중앙아메리카 강우림 같은 지역에서 상당한 토지를 개간했던 것은 사실이다. 그러나 농부들의 토지 개간은 자주 산업적 농업이 주요 농업 지역에서 농민들을 몰아내는 더 큰 농업 이행 과정의 일부였다. 토지개혁 문제를 피하기 위한 정부의 '식민화' 프로그램은 가난한 농부들로 하여금 '농촌 변경'으로 이주하여 열대 우림을 베어버리고 화전농업을 하도록 독려했다. 대규모 소목장 소유자들은 바로 뒤따라 들어와서 농민들을 더 깊은 숲속으로 밀어넣었다.[26]

한 글로벌 추정치에 따르면, 삼림 벌채의 70% 이상이 상업적 작물을 재배하는 데서 비롯된다.[27] 토지 이용 변화로 인해 배출되는 온실가스의 대부분은 콩, 옥수수, 사탕수수, 야자유를 재배하는 거대 플랜테이션들에 의해 발생한다. 이 농장들에 의해 축출된 소규모 농부들은 새로운 땅을 개간해야만 하고, 그리하여 탄소 배출량이 더욱 증가한다. 사하라사막 이남의 아프리카에서는 축출된 농민들이 목축민들의 방목지에 침입하여 농부와 목축민 모두의 회복력과 생계를 약화시켰다. 이 먹을거리 생산 모델의 비극적인 아이러니는 생산물의 24%가 쓰레기로 폐기되고, 35%가 동물 사료로, 그리고 3%가 바이오 연료로 쓰인다는 것이다.

그러나 우리가 이미 살펴보았듯이, 모든 농업체계가 똑같은 것은 아니다. 산업적 농업이 전 세계 농업에서 배출되는 온실가스 양의 대부분을 차지하는 반면, 농업생태학적 관행 — 소규모 농부들이 주로 이용하는 — 은 배출량을 줄일 뿐만 아니라 더 많은 탄소와 다른 온실가스들도 격리시킨다. 그럼에도 불구하고 농업이 지구 생태계에 미치는 부정적인 영향에 관한 수치들을 계산할 때면, 모든 형태의 농업이 같은 산업용 포대 속으로 던져진다.

이처럼 서로 다른 생산체계를 무차별적으로 하나로 묶는 것은 농업생태학이나 혼농임업 같은 접근방식이 지닌 이점을 무시하는 데 그치지 않는다. 그것은 또한 곡물-오일시드-축산 복합체의 파괴적 동학을 숨기고, 방대한 콩과 옥수수 플랜테이션에서 실행되는 '지속가능한 강화'와 '토지 절약' 같은 조치들이 사료 및 연료 작물의 확산으로 인해 증가된 온실가스 배출량을 실제로 상쇄하고 있다고 믿게 한다. 더 나아가 그것은 사료용으로 재배된 곡물과 오일시드가 (아무리 '지속가능한' 방법으로 재배된다고 하더라도) 온실가스 배출 산업 — 번식장, 공장형 농장, 사육장, 도살장, 포장공장은 엄청난 양의 에너지를 필요로 하고 높은 수준의 CO_2, 메탄 및 공기매개 오염물들을 배출한다 — 을 어떻게 지원하는지, 그리고 강, 하천, 대수층을 어떻게 고갈시키는지를 간과하고 있다. 그러한 시설로 운송하는 '푸드 마일food miles' 또한 온실가스 배출에 한몫한다. 왜냐하면 한 대륙에서 재배된 곡물은 해외 사육시설로 장거리 수송되고, 그다음에 어린 가축들이 국경 너머로 보내져서 살이 찌워지고, 또 다른 곳으로 보내져 도살되고, 그런 다음 육류로 수출되기 때문이다. 우리가 전체 체계보다 기술적 해결책에 초점을 맞추는 한, 우리는 연동되어 있는 부문들이 초래하는 생태학적 피해를 과소평가하게 될 것이다.

산업적 농업이 온실가스 배출에서 큰 몫을 차지하는 까닭은 그것이 화학물질을 과다사용하고 화석연료에 의존하기 때문만이 아니라, 그 생산 관행이 숲과 초목을 파괴하고 토양 유기물질을 잃게 하기 때문이기도 하고, 또한 큰 산업 농장이 더 작은 다양한 경작체계를 대체하게 하기 때문이기도 하다. 산업적 농업 생산의 거의 40%는 사람들을 위한 먹을거리를 생산하는 것이 아니라 사료 작물과 연료 작물 — 둘 다 많은 탄소를 배출한다 — 을 생산한다. 산업적 농업의 관행은 변화해야 하지만, 더 크고 연동되어 있는 글로벌 생산 형태도 변화해야만 한다. 자본주의의 생산 형태에서 핵심이 되는 것은 산업 축산이다.

생태 말굽 자국

토양, 물, 생물다양성, 기후변화와 관련한 먹을거리 체계의 환경적 결함은 산업 곡물 - 오일시드 - 축산 복합체의 부상에서 가장 분명하게 드러난다.

고기의 '생태 말굽 자국ecological hoofprint'이 (지리학자 토니 와이스Tony Weis가 단일경작의 '바다'와 동물들이 밀집해 있는 '섬'이라고 부르는 패턴으로) 전체 농경지의 30%를 덮고 있다.[28] 다량의 옥수수, 콩, 보리, 수수, 귀리, 카놀라가 광대한 플랜테이션에서 재배되어 산업 축산을 위한 사료로 가공된다. 자본집약적인 밀집가축사육시설confined animal feedlot operation(CAFO)은 수백만 마리의 돼지, 가금류, 소를 비좁은 우리와 울타리에 가두어놓고 사육한다. 그곳에서는 빠르게 성장하는 고생산성 동물에게 높은 생산성과 빠른 성장을 촉진하기 위해 항생제와 호르몬이 들어간 고단백질 사료가 공급된다. 이처럼 심한 오염을 불러오는 생산 형태가 산업국가에만 국한되지 않고 전 세계적으로 확산되고 있다.

> [이러한 식으로] 농목축 체계가 꾸준히 대체되고 있으며, 농장 동물들의 다기능적 사용가치(에너지, 거름, 가죽, 양모 등)가 그 동물들의 살, 달걀, 우유의 교환가치로 대체되고 있다. …… 이러한 변화는 단일한 조직화 정명(즉, 생산의 회전 시간을 가속화하거나 체중 증가, 산란, 젖 분비의 비율을 증가시키는 것)을 따르지 않을 수 없게 한다.[29]

'생물학적 가속Biological speed-up'은 자본주의 농업의 성배이다. 왜냐하면 그것은 주어진 시간 내에 더 많은 상대적 잉여가치를 생산할 수 있게 해주기 때문이다. 선택 교배, 유전공학, 그리고 항생물질과 성장 호르몬의 사용은 공장식 농장에서 동물의 성장 시간을 극적으로 줄이고, (짧은 삶을 사는) 젖소의 젖 분비를 강화한다.[30]

생물학적 가속의 부정적인 결과는 잘 입증되어 있다. 구이용 영계는 불과 8주 만에 '다 자란다.' 즉, 닭들은 어둠 속에서 분뇨가 달라붙은 바닥에 앉아 있은 상태로 일주일에 1파운드 이상 자란다. 그것이 가능한 까닭은 그 닭들이 소비하는 에너지의 많은 부분이 성장에 전용되기 때문이다. 따라서 그 닭들은 자신의 다리로 서 있을 수가 없다. 젖소는 세 번 새끼를 낳은 후에 생물학적으로 소진되어 햄버거 고기로 판매된다. 밀집가축사육시설의 분뇨 웅덩이는 주요 환경 위험이며, 동물 생산에 이용된 호르몬과 항생물질은 인간의 호르몬 성장과 내분비 기능을 방해할 뿐만 아니라 저항성 박테리아 균주를 만들어낸다.

생물학적 가속은 또한 어떤 종류의 고기가 세계시장을 지배할지를 결정한다. 가금류와 돼지 수의 놀랄 만한 증가(소와 비교하여)는 왜 그것들이 현재 세계에서 먹는 고기의 70%를 차지하는지를 설명해 준다. 이것은 와이스가 세계 식단의 '고기화meatification'라고 부르는 것을 추동한다. "700억 마리의 농장 동물이 매년 도살된다. 60년 전만 해도 70억 마리였다. 2050년쯤에는 연간 1200억 마리가 도살되어, 한 세기도 안 되어 15배 증가할 것으로 예측되고 있다."[31]

산업적 농업의 기후-스마트 도구상자 속 어디에서도 고기 산업 — 농업에서 가장 크고 가장 오염되고 가장 건강에 좋지 않고 가장 많은 탄소를 토해내는 부문 — 에 대한 그 어떤 대안을 찾아볼 수 없다. 다른 모든 부문은 곡물-오일시드-축산 복합체가 초래한 환경 황폐화를 완화하고 조정하기 위해 토양, 물, 생물다양성을 보존할 것을 권고받고 있다. 곡물과 콩을 먹은 고기가 증가해온 것은 자본주의 발전의 불가피한 결과로 가정된다. 만약 이것이 사실이라면, 의문을 제기받아야만 하는 것은 바로 자본주의의 발전이다.

기술 변화 대 체계 변화: 녹색혁명에서 유전자 혁명으로

꾸준하게 진전된 기후변화와 함께 토양, 물, 생물다양성이 사라지자, 생산 및 소비 형태 면에서 지구 생태 능력 초과ecological overshoot에 큰 책임이 있는 산업들이 그러한 문제들에 대해 잇따라 반응을 내놓아왔다. 그러한 반응들은 문제의 근원을 다루는 체계적인 해결책보다는 즉각적인 문제에 대한 기술적인 해결책을 선호하는 것을 특징으로 한다.

기술적 해결책들은 현존하는 먹을거리 레짐을 바꾸는 것이 아니라 안정화시키기 위해 설계되었다. 이것이 바로 그러한 해결책들이 보다 체계적인 접근방식(토지개혁과 시장개혁 같은)과 자주 충돌하는 이유이다. 레짐 친화적인 기술적 해결책의 기본적인 특징은 그 해결책이 특허를 받을 수 있고 수익성이 있고 기존의 기술적 모델과 양립 가능하다는 것, 그리고 생산의 사회적 관계나 대규모의 산업적인 규모의 경제에 도전하지 않는다는 것이다. 오히려 기술적 해결책들은 문제를 단지 임시적으로 해결하고 앞으로 혁신을 할 수 있는 여지를 남겨둔다. 달리 말하면, 기술적인 해결책은 그 해결책이 상품으로 전환될 수 있을 때 선호된다.

이를테면 1990년대에 과잉생산, 농촌 빈곤 증가, 생태적 피해라는 다중 위기가 녹색혁명을 거의 중단시켰을 때, 농업개발에 종사하는 많은 저명한 전문가들은 탈脫녹색혁명, 즉 지속가능한 농업으로의 전환을 요구했다. 저명한 농업생태학자인 고든 콘웨이Gordon Conway는 연구자와 농민들에게 녹색혁명의 화학적 접근방식에 대한 대안을 찾아냄으로써 생산을 증대시키는 동시에 자연 자원을 보존하는 '이중 녹색'혁명에 함께 참여할 것을 권고했다.[32]

세계은행의 새로운 관리하에 국제농업연구 자문그룹(CGIAR)은 "[3중의] 녹색혁명 — 생산성을 위한 녹색혁명, 환경적 지속가능성을 위한 녹색혁명, 그리고 먹을거리 안정성의 접근 측면을 다루는, 향상된 생활 조건으로 진입하는 지점으로서의 소득 증가를 위한 녹색혁명 — "

을 선언했다. 세계은행이 새로 임명한 CGIAR 위원장 이스마일 세라겔딘Ismail Serageldin은 다음과 같이 주장했다. "우리는 새로운 개발 패러다임에 헌신하고 있다. 이 패러다임은 최첨단 과학과 전통적인 지식을 결합할 수 있고, 공동체 기반 행동을 효율성에 필수적인 것으로 인식하며, 농장 가족과 특히 여성의 권한 강화를 가장 중시한다."[33]

한 CGIAR-NGO(비정부기구nongovernmental organization) 위원회가 농업생태학의 개척자인 미구엘 알티에리Miguel Altieri를 의장으로 하여 구성되었다. 그 위원회는 즉시 연구를 개시하고 보고서를 쓰기 시작했을 뿐만 아니라 학술대회, 마을 수준의 농업생태학 워크숍, 농민 간 교류를 지원했다. 녹색혁명이 변화하기 직전에 있는 것처럼 보였다.

변화가 시작되었지만, 그것은 생명공학의 형태로 나타났다.

세계은행의 CGIAR 기구 축소와 구조조정은 민간금융과 유전공학에 녹색혁명의 문을 열어주었다. GMO를 위한 자원이 증가함에 따라, 농업생태학과 CGIAR-NGO 위원회에 대한 지원이 줄어들었다. 위원회는 결국 문을 닫았다. 빌 앤 멀린다 게이츠 재단이 록펠러 재단의 뒤를 이어 녹색혁명의 대표 자선단체를 맡았는데, 이는 이 부문에서 공공 기금 지원에 의거한 연구에 비해 자유시장이 주도권을 쥐게 되었다는 것을 의미한다.

유전자 변형 작물이 이 새로운 '유전자 혁명'을 주도했다.

몬산토와 신젠타 같은 화학회사들은 녹색혁명이 개발한 기존의 다수확 품종(HYV)에 글리포세이트glyphosate 내성 유전자를 삽입했다. 이는 농부들로 하여금 자신들의 들판에 제초제를 뿌려서 작물이 아닌 잡초를 죽일 수 있게 해주었다. 바실러스 투린지엔시스Bacillus thuringiensis(Bt) — 이는 농민들이 곡물에 선택적으로 뿌렸던, 집에서 만든 유기 농약이었다 — 로부터 추출한 유전자가 기존의 옥수수 품종에 유전학적으로 삽입되어 옥수수 전체가 해충에 독성을 가지게 되었다. 글리포세이트 내성 작물과 Bt 작물이 곧 슈퍼 잡초와 슈퍼 벌레를 만들어낼 것이라는 생태학자, 곤충학자, 잡초 과학자들의 경고를 무시하고 유전자 혁명은 농업개발 어젠다를 계속해서 재설정했다. CGIAR은 생물영양강화 작물과 가뭄에 강한 작물을 개발하기 위해 유전공학에 초점을 맞추기 시작했다.

15년 후 유전자 혁명으로의 전환이 완료되었을 때(그리고 세계의 굶주리는 사람의 수가 7억 5000만 명에서 10억 명 이상으로 늘었을 때), 고든 콘웨이는 『10억 명의 굶주리는 사람들: 우리는 세계를 먹여 살릴 수 있는가?One Billion Hungry: Can We Feed the World?』라고 이름붙인 『이중 녹색혁명Doubly Green Revolution』의 두 번째 판을 출간했다. 이번에는 그는 GMO와 함께 농업생태적 기법

을 받아들이라고 주장했다. 기아의 문제가 너무 심각해서 우리에게는 '모든 해결책'이 필요했다.[34]

콘웨이는 『10억 명의 굶주리는 사람들』에서 독점과 자유시장이 농업생태학을 무시하고 소규모 자작농 농업을 체계적으로 파괴했던 지난 15년간의 농업 자본주의에 대해서는 얼버무렸지만, 녹색혁명이 농업생태학에 잠시 관심을 보인 후 산업이 제공하는 임시변통 상품을 위해 농업생태학의 체계 접근방식을 폐기해 왔다는 점은 분명히 했다.[35]

농업생태학적 방법들이 완전히 버려지지는 않았다. 그 방법들은 GMO와 양립할 수 있으며 어떠한 자본투자도 요구되지 않는 한에서만 채택되었다. 이 접근방식은 '지속가능한 강화sustainable intensification'라고 불렸다. 그것은 '기후-스마트' 농업이라는 새로운 산업 범주 내에 자리를 잡았다.

기후-스마트 농업의 3연승 단식

보다 집약적인 경작이 더 적은 땅에서 더 많은 먹을거리를 생산할 수 있다는 관념은 새로운 것이 아니다. 18세기에 영국의 고도경작High Farming은 수입된 구아노guano로 생산을 강화하면서 소농 농지를 잠식했다. 녹색혁명은 자신이 세계 최고의 농업 토양에 기반하여 생산성을 증가시켰고 그리하여 농업이 새로운 땅으로 확장하는 것을 피하게 해왔다고 주장했다.

농업 강화가 적은 토지에서 더 많은 것을 생산할 수 있을 뿐만 아니라 자원을 적게 사용하고 오염을 덜 유발하고 생물다양성을 보존하며 기후변화에 탄력적이라는 주장은 기후-스마트 농업이 내세우는 틀이다. 기후-스마트 농업의 핵심 전략은 지속가능한 강화이고, 그것의 성배는 토지 절약이다. 상호 관련된 이 세 가지 개념은 다음과 같이 간략하게 잠정적으로 정의할 수 있다.

- 기후-스마트 농업: 생산성을 증대시키면서도 동시에 회복력을 강화하고 온실가스 배출을 줄이는 3연승 단식trifecta(승리, 승리, 승리)의 틀
- 지속가능한 강화: 오염을 증가시키지 않고서도 적은 토지에서 더 많은 먹을거리를 생산하는 기법
- 토지 절약: 자연 서식지로의 농업 확장을 피함으로써 생물다양성을 보존하는 방법

이 개념들은 일련의 다양한 생산 기법을 용인한다. 규모, 자

본화와 기계화 수준, 그리고 생산 기법 자체의 구체적 성격은 상관이 없다. 특정 기법이나 혁신이 이전 관행보다 개선된 것이기만 하면, 농민의 농업생태학에서부터 밀집가축사육시설에 이르기까지 모든 것을 허용한다. 그러한 기법들은 기존의 관행을 개선하는 것은 물론, 모든 먹을거리 생산을 글로벌 가치사슬에 통합하는 것을 목적으로 하는 글로벌 기후 적응전략의 일부이다.

이 세 개념은 그 핵심에서 기아, 기후, 생물다양성 및 농업과 관련하여 동일한 기본 주장과 가정들을 공유하고 있다. 물론 기후-스마트 3연승 단식을 가장 포괄적으로 정당화해 주는 것은 기아를 종식시키기 위해서는 먹을거리 생산을 증대시켜야만 한다는 것(독해하면, 우리는 먹을거리의 과잉생산을 계속해야만 한다는 것)이다. 우리는 이미 이 신화를 깨버렸지만, 이 신화 없이는 3연승 단식에 대한 지지가 무너진다. 이 신화에 기반하여 모든 주장과 가정이 추론된다.

첫째 가정은 화학집약적 단일경작이 생태집약적 혼합경작보다 더 생산적이라는 것이다. 이것은 합성비료, 살충제, 제초제, GM 종자를 이용하는 것만이 세계를 먹여 살리기에 충분한 먹을거리를 생산할 수 있다는 주장에 근거한다.

둘째 가정은 농업은 필연적으로 생물다양성을 파괴한다는

것이다. 이 논리에 근거하여 집약적으로 경작되는 화학의존적인 단일경작으로만 생물다양성 파괴가 한정될 경우 새로운 땅으로 농업이 확장되는 것을 막을 수 있을 것이며 따라서 생물다양성을 보존하고 온실가스 배출량이 증가하는 것을 피할 수 있을 것이라고 주장된다.

셋째 가정은 (화학 투입물의 이용 비율이 아니라) 화학 투입물의 비효율적 이용이 농업 오염과 온실가스의 원인이라는 것이다. 이 논리에 따르면, (정밀 농업을 통해) 화학 투입물의 효율적 이용을 증대시키는 것은 농부들에게 더 높은 이익을 가져다줄 것이며, 따라서 그들은 새로운 땅으로 경작을 확대할 필요가 없게 될 것이다.

이러한 가정들의 진수는 그 가정들이 농업에 대한 녹색혁명 접근방식을 재부팅하도록 설계되어 있다는 것, 그러면서도 (녹색혁명을 내장한) 더 큰 기업 먹을거리 레짐이 어떻게 회복력, 생산성, 온실가스 배출 감소라는 기후-스마트 목표를 훼손하는지에 대해서는 어떠한 평가도 하지 않는다는 것이다. 이러한 가정들은 심각한 결함을 지니고 있다.

녹색혁명의 대규모 화학집약적 단일경작이 소규모 자작농들의 혼합경작보다 더 생산적이라는 널리 퍼져 있는 가정은 현장에서 입증되지 않는다. 높은 기계화 정도 때문에 대규모의 산업적 단일경작에서 노동 단위당 생산량이 더 많은 것은 사실이다. 또한 단일경작 방식으로 옥수수를 심은 1헥타르가 전통적인 방식으로 옥수수-콩-스커시를 혼합경작한 1헥타르보다 더 많은 옥수수를 생산한다는 것도 사실이다.

그러나 혼합경작의 헥타르당 순 일차생산성net primary productivity(식물이 생산하는 순 생물자원의 양)은 단일경작의 헥타르당 순 일차생산성보다 일관되게 더 높다. 소규모 농장은 또한 1에이커당 생산량 면에서 대규모 농장을 일관되게 능가한다.[36] 특정한 조건과 특정한 작물 혼합하에서는 각 곡물당 산출량이 단일경작보다 혼합경작에서 더 많을 수 있다.[37] 농업생태적으로 관리되는 소농 농업이 토지 단위당 생산성이 더 높고 더 강한 회복력을 지닌다는 것을 보여주는 증거들도 많다.[38]

산업적 농업은 생물다양성을 파괴한다. 녹색혁명의 살충제와 제초제는 토양 생물을 몰살시킨다. 농약은 곤충과 조류 개체군을 전멸시키고, 단일경작은 수많은 식물 종을 단지 하나의 품종으로 대체한다. 이것이 바로 녹색혁명이 초래한 환경적 외부효과를 해결하기 위해 CGIAR이 지난 20년간 많은 노력을 기울여온 까닭이다.

토지 절약적 환경 논의는 윌슨E. O. Wilson과 로버트 맥아더Robert MacArthur가 발전시킨 '섬 생물지리학Island Biogeography' 이

론에 느슨하게 근거한다.[39] 섬 생물지리학은 원래 해양의 섬들에서 일어나는 종 식민지화와 멸종의 비율에 관한 모형으로 만들어졌다. 섬이 본토에 더 가깝고 더 클수록 생물다양성 — 새와 식물의 수와 종류 — 이 더 컸다.

보존 생물학자conservation biologist들은 이 이론을 숲 생물다양성에 적용했다. 그들은 숲을 종들이 풍부한 '본토'로, 그리고 이웃하고 있는 농지를 비활성 '바다' — 그들은 이를 하나의 매트릭스라고 불렀다 — 로 간주했다. 이 농업 매트릭스에서 숲의 단편들이 숲의 '본토'에 더 가깝고 더 클수록 생물다양성은 더 풍부했다. 또한 이 농업 매트릭스에서는 종과 생물다양성이 전혀 없는 것으로 가정되었다.

그러나 이 이론은 산업적 농업에는 적용될 수 있지만, 작고 다양한 농업생태적 농장들이 대규모로 모여 있는 곳에는 적용되지 않는다. 존 밴더미어John Vandermeer, 이베테 퍼펙토Ivette Perfecto, 앵거스 라이트Angus Wright는 자신들의 저작 『자연의 매트릭스Nature's Matrix』에서 농업생태적 농장이 생물다양성이 풍부하며 실제로 주변 숲의 생물다양성을 보충하고 풍부하게 하는 역할을 한다는 사실을 양적으로 증명했다.[40]

녹색혁명의 아버지인 노먼 볼러그Norman Borlaug는 생산성이 높은 다수확 품종(HYV)을 초기에 채택한 사람들은 덜 유능하고 HYV를 늦게 채택한 사람들을 그 일에서 몰아내기 때문에 농지의 총량을 줄일 것이라고 자신의 생을 마칠 때까지 주장했다. 이것은 거짓으로 판명되었다. 글로벌 연구들은 농업 산출량과 경작지역 모두가 증가했다는 것을 보여준다. 이는 부분적으로 많은 소농 농부가 농업에서 밀려나는 대신 농업 변경으로 밀려 들어갔기 때문이다. 이는 또한 증대된 생산 또는 보다 효율적인 생산으로 인해 가격이 떨어짐에 따라 수요가 늘어나고 따라서 더 많은 토지가 생산에 투입되는 '제본스의 역설Jevons paradox' 때문이기도 하다.[41]

저널 ≪네이처Nature≫를 위해 자신의 블로그에 글을 쓰는 클레어 크레멘Claire Kremen 교수는 페루의 경우를 예로 들고 있다.

> 연구자들은 정부가 오일 팜 농업에 대한 투자를 장려한 곳에서 고도로 자본집약적인 재배자들이 저산출 시설을 가지고 있는 소규모 생산자와 중간 규모 생산자보다 토지를 덜 사용한다는 것을 발견했다. 하지만 토지 절약의 사례는 자연 절약으로 이어지지 않았다. 왜냐하면 고도 자본화된 재배자들은 자신의 시설을 위해 원시림을 과도하게 개간했기 때문이다.[42]

아이오와 출신의 곡물 농부인 조지 네일러는 미국의 딜레마를 이렇게 설명한다.

> 교훈적 사실/새빨간 거짓말에 따르면, 우리는 기존 농지에서 산출량을 증가시킴으로써 처녀지 — 다우림, 습지대, 또는 대초원과 같은 — 를 상품 생산에 전용하는 것을 막을 수 있다. 실제로는 그 반대가 사실이다. 당신이 산출량을 늘릴 때마다 당신의 생산비용은 줄어들 것이고, 아마도 당신은 훨씬 더 많은 한계 토지를 개간하게 될 것이다.[43]

기후-스마트 농업, 지속가능한 강화, 토지 절약 개념은 체계의 틀systems framework을 결여하고 있기 때문에 온실가스 배출의 실제 범위와 관련하여 범주적 오류categorical error를 범한다. 캐나다 퀸즈대학교의 마커스 테일러Marcus Taylor는 아르헨티나의 기후-스마트 농업 — 팜파스[남미의 대초원 지대_옮긴이]를 "콩, 옥수수, 밀을 무경간無耕墾 방식[밭을 갈지 않은 상태에서 씨를 뿌리는 방식_옮긴이]으로 재배하는 방대한 단일경작지"로 전환한 것 — 에 대한 세계은행의 평가에 대해 논평하면서 다음과 같이 쓰고 있다.

> 세계은행은 '스마트하다는 것'을 이전 방법과 현재 방법 간의

상대적인 변화의 측면에서 [평가하면서] 화학집약적 단일경작이 그것 바로 앞에 선행한 생태학적으로 훨씬 더 비효율적인 형태의 산업적 농업보다 개선되었다는 것에 근거하여 화학집약적인 단일경작을 모범적인 기술로 찬양한다. …… 아르헨티나의 콩 생산은 미국과 중국의 대규모 산업적 돼지 농장을 포함하여 가축의 공장 생산을 뒷받침한다. 그러한 산업적 고기 생산은 (1) 자양물 사용 측면에서 아주 비효율적이고, (2) 기후변화의 주범이며, (3) 지역 환경에 믿을 수 없을 정도로 나쁜 영향을 미친다. 따라서 아르헨티나의 '기후-스마트 농업'은 '기후-스튜피드 소비climate-stupid consumption'의 토대 역할을 한다.[44]

기후-스마트 농업과 지속가능한 강화는 농업 생산양식(자본주의), 생산수단(토지, 노동, 자본)의 불균등한 배분, 또는 (충분한 양의 건강한 먹을거리를 구입할 수 없게 만드는) 소득과 부의 불평등한 분배를 다루지 않는다. 오히려 그것들은 기업 먹을거리 레짐의 기존 정치 및 구조와 양립할 수 있는 산업적 생산 형태로 기술적 변화를 이룰 것을 요구한다. 기후-스마트 농업과 지속가능한 강화는 새로운 농업 기술이 기아와 환경 황폐화의 문제를 충분히 해결하거나 궁극적으로 새로운 혁신을 추동할 것이라는 것, 또는 기술 변화가 우리가 현재 자본주의 농업 내에서 성취하기를 바랄 수 있는 최선의 방법이라는 것을 기본 전제로 하고 있다.

이러한 접근방식들은 자본주의 자체를 그 범위 밖에 안전하게 놔두고서 자본주의 농업을 긍정하고 정상화할 뿐만 아니라, 자본이 어째서 다른 형태의 생산에 비해 특정 형태의 생산을 선호하는지도 다루지 않고, 특정 형태의 생산이 어떻게 다른 형태의 생산을 착취할 수 있는지도 무시한다. 이를테면 사료와 연료 작물을 생산하는 대규모 플랜테이션 농업은 먹을거리를 재배하는 소규모 자작농들에게 생계의 손실을 보상하기 위한 일자리도 제공하지 않은 채 그들을 몰아낸다. 계약 경작은 농업 강화가 얼마나 지속가능한지와는 무관하게 농부들을 농노와 같은 형태의 채무 속박에 빠뜨린다.

대규모 단일경작과 밀집가축사육시설은 그것들에 내재하는 생태적·경제적 위험에도 불구하고 기후-스마트 농업/지속가능한 강화의 틀과 아주 잘 부합한다. 대규모 단일경작과 밀집가축사육시설이 해야 하는 것이라고는 분뇨 웅덩이의 발자국을 줄이는 것과 엄청난 양의 화학물질, 호르몬, 항생제, 물, 에너지를 사용하여 효율성을 높이는 것뿐이다. 먹을거리의 질(또는 소비자의 식생활)에는 아무런 관심이 없다. 그리고 그러한 형태의 생산을 계속하는 데 자금을 투자하는 독점체들의 권력에도 아무런 관심이 없다.

그렇다고 하더라도 모든 농장이 더 적은 땅에서 더 많은 먹을거리를 생산할 수 있다면, 그러면서도 더 지속가능할 수 있다면 더 좋지 않은가? 아마도 그럴 것이다. 하지만 플랜테이션이나 거대한 농장에서 밀집가축사육시설, 계약 경작, 단일경작이 유지되도록 하는 것이 우리가 원하는 것인가? 아니면 환경과 조화를 이루는, 그리고 자신들의 경제적 미래를 보장하기 위해 먹을거리 체계를 재구조화하는 관행을 이용하여 이미 높은 산출량을 생산하고 있는 소규모 농업생태적 농장이 우리가 바라는 것인가?

온갖 자금 조달의 원천으로서의 땅: 그다음의 농업 이행

농식품 기업의 확장 필요성 때문에 먹을거리 체계는 전례 없는 이행에 돌입하고 있다. 유전자 이식gene transfer이라는 종래의 서투른 기법은 훨씬 더 빠른 형태의 DNA 직접 조작과 나노기술로 대체되고 있다. '디지털 농업'은 대량의 지리·농경 데이터를 수집할 것이고, 위성 정보 시스템을 이용하는 최신 '정밀 농업'에 기초하여 새로운 정교화된 농기계를 통해 합성비료와 살충제를 뿌리게 될 것이다. 몬산토-바이엘에서부터 존 디어John Deere, 카길Cargill, 네슬레, 월마트, 아마존에 이르는 모든 주요 식품 및 농업 독점체들이 이 빅 데이터 시스템을 이용할 것이다. 이 거인들이 그들끼리 합병하면, 전체 먹을거리 가치사슬은 또 다른 라운드의 통합을 고려할 것이다.

그럼 농부들은 새 기계를 사고 새로운 서비스 비용을 지불하는 데 필요한 돈을 어디서 구할 것인가? 땅에서 얻는다. 농지 상품의 붐과 금융 규제 완화 덕분에 농지가 빈번히 거래되고 농지의 금융화가 증가하고 있다. 한편에서 농부들은 자신들이 기술 쳇바퀴에서 앞서갈 수 있게 해줄 현금을 마련하기 위해 새로운 담보대출을 받거나 심지어 땅을 팔고 임차하고 있다. 다른 한편에서는 너무나도 가난해서 기업의 힘에 저항할 수 없는 농부들로부터 토지가 수탈되고 있다.

토지는 단지 더 큰 덩어리로 통합되는 것에 그치지 않는다. 농지의 소유권이 농부들에게서 금융 부문으로 넘어가고 있다. 담보물들은 잘게 쪼개져서 다시 포장되어 팔린다. 글로벌 금융 시장에서는 매초당 수백만 조각의 농지가 거래된다. 이것은 농지 가치에 투기적 거품을 만들어서 농지를 가난한 사람들의 사정권에서는 물론 젊은 농부과 신참 농부들의 사정권에서도 벗어나게 해왔다.

먹을거리 생산, 농지의 가치, 투기적인 글로벌 금융자본이 하나로 결합된 것이 바로 캘리포니아대학교의 매들린 페어베언Madeline Fairbairn이 '금의 수확gold with yield'이라고 부르는 과정이다.[45] 2008~2011년 이후 먹을거리 가격이 급등하면서 먹을거리 상품과 땅 둘 다 가치가 상승했고, 이로 인해 토지 러시가 일어났다. 2000년에서 2016년 사이에 농업 관련 기업 투자자들은 전 세계 소규모 자작농과 목축민들로부터 2400만 헥타르 이상의 땅을 '수탈'했다.[46] 옥스팜Oxfam은 농업, 채굴산업, 순 투기를 위해 수탈된 토지가 8100만 에이커 ― 포르투갈 크기의 규모 ― 가 넘는다고 추정한다.[47]

이것은 농부, 먹을거리 체계, 환경에는 좋은 소식이 아니다. 산업적 농업이 파괴적 결과를 초래하는 것 외에도, 투기자의 시간 지평은 분 ― 또는 심지어 초 ― 이다. 토양, 대수층, 생물다양성에 관심이 있는 생태 농부의 시간 지평은 세대이다. 투기꾼이 아닌 토지 지킴이들이 농업을 지속가능하게 만들 것이다.

조치를 취해달하는 요구: 누가 듣고 있는가?

2017년에 184개국의 1만 5000명 이상의 과학자들은 자신들의 뜻을 담은 간절한 편지를 세계 지도자들에게 보냈다. 그 편지에서 그들은 "인류는 위험에 처한 우리의 생물권을 보호하는 데 필요한 긴급한 조치를 취하지 않고 있다"라고 주장했다. 그 과학자들은 지난 25년 동안 우리의 지구로 하여금 몇 가지 티핑 포인트를 넘어서게 하고 있는 환경 피해들을 열거했다.

- 전 세계 인구가 1인당 이용할 수 있는 담수의 양이 26% 감소했다.
- 해양 '데드존' — 오염과 산소 고갈로 인해 거의 살 수 없는 곳 — 의 수가 75% 증가했다.
- 거의 3억 에이커에 달하는 숲이 사라졌고, 사라진 숲의 대부분이 농지가 되었다.
- 글로벌 탄소 배출량과 평균 온도가 지속적으로 크게 증가했다.
- 인구가 35% 증가했다.
- 전 세계의 포유류, 파충류, 양서류, 조류, 어류의 수가 전체적으로 29% 감소했다.[48]

이것은 1992년 「세계 과학자가 인류에게 보내는 경고World Scientists' Warning to Humanity」에 이은 두 번째 요구였다. 그 당시에는 1500명의 과학자가 '우려하는 과학자들의 모임'이 쓴 편지에 서명했었다. 그 편지는 "환경 파괴를 줄일 것을 인류에게 요구"했고, "인간의 엄청난 불행을 피하고자 한다면, 지구와 지구에서의 삶에 대한 우리의 책임에서 큰 변화가 요구된다"라고 경고했다. "…… 우리의 현재의 경로가 초래할 수 있는 결과를 피하기 위해서는 근본적인 변화가 시급히 요구되었다."

오히려 자본주의는 '자유시장'이라고 완곡하게 불리는 것에 의거하여 환경 규제와 시장 규제가 폐기되는 신자유주의 지구화의 단계로 진입했다. 신자유주의 자본주의는 세계의 자원과 세계의 먹을거리 체계를 최고 입찰자에게 개방하여, 세계의 탁월한 과학자들이 요구하는 경로와는 반대 방향으로 세계를 내몰았다.

두 번째 편지가 25년 후에 같은 주장을 펼친다는 것은 세계 지도자들의 청각장애에 대한 걱정스러운 성찰 그 이상의 것이다. 그 편지는 전례 없는 부에도 불구하고 빈곤과 기아를 종식시킬 수 없고 자신의 엄청난 집합적 권력에도 불구하고 경제성장을 통제할 수 없는 정치-경제체계에 대한 고발장이다. 자본주의는 지구로 하여금 지구가 지닌 인간 수용 능력 너머로까지 나아가게 하고 있다.

제4장

누가 세계를 파괴하지 않으면서 세계를 먹여 살릴 수 있는가?

기업 먹을거리 레짐은 전 세계 사람들의 기아를 종식시키거나 식생활 건강을 보장하려 하지 않는다. 그것은 기후변화, 환경 파괴, 또는 자원고갈의 문제를 실제적으로 다루지도 않는다. 글로벌 경제가 점점 더 불공평해지면서, 좋은 먹을거리와 깨끗하고 건강한 환경은 모든 사람의 보편적인 권리이기보다는 특권 있는 사람들의 자격이 되어왔다. 우리가 우리의 먹을거리를 생산하고 분배하고 소비하는 방식이 사회적·환경적으로 붕괴된 이후, 많은 사람이 부서진 글로벌 먹을거리 체계를 고치기 위한 개혁을 요구하고 있다.

이러한 요구는 먹을거리 체계가 한때 잘 작동했다고 가정한다. 이는 적절한 기술과 공정한 글로벌 시장을 통해, 먹을거리의 안정성을 확보하기 위한 안전망을 통해, 그리고 여성의 참여와 혜택을 받지 못하는 공동체의 참여를 통해 우리가 먹을거리 체계를 고칠 수 있을 것이라는 생각에 기반한다. 이 모든 것이 필요하지만, 문제는 바로 다음과 같은 것이다. 먹을거리 체계가 잘 작동한 적이 있었는가? 우리가 먹을거리 체계를 '고친다'면, 우리는 다시 무엇으로 돌아가는가?

글로벌 먹을거리 체계는 서서히 움직이는 재앙이지, 고장 난 것이 아니다. 그것은 자본주의 먹을거리 체계가 작동하기로 되어 있는 대로 정확하게 작동하고 있다. 그것은 끊임없이 확장하며 소수의 강력한 독점체에 부를 집중시키면서도, 모든 사회적·환경적 비용을 사회에 전가한다. 그러한 비용은 불공평하게도 가장 취약하고 착취당하는 여성, 빈민, 토착민, 유색인종, 노동계급, 농촌 지역사회가 부담한다.

부를 축적하기 위해 자행되는 사람과 자원의 착취는 주기적인 과잉생산의 위기를 낳는다. 이 위기는 새로운 부, 생산 형태, 시장을 건설하기 위해 기존의 부, 생산 형태, 더 약한 경제와 공동체의 시장을 파괴함으로써 해결되고, 그리하여 또 다른 라운드의 축적이 다시 시작된다. 오스트리아의 경제학자 조지프 슘페터Joseph Schumpeter는 이를 '창조적 파괴'라고 불렀고, 그것을 자본주의의 기업가적 발전 동력의 일부라고 칭송했다.[1]

이 모델은 자본주의가 확장되고 새로운 땅과 새로운 값싼 노동 풀을 착취할 수 있는 한 '작동'했다. 기술혁신과 기업가 정신은 더욱더 많은 먹을거리를 공급했다. 그러나 이제 새로운 자원을 발견하는 데에는 더 많은 비용이 들어가며, 기존 자원은 오염되고 있다. 세계 인구가 안정화됨에 따라 시장 확대는 주기적인 과잉축적 위기를 해결하는 방책이 되지 못할 것이다. 자본주의는 생산을 통해 창출된 가치로부터 부를 금융적으로 짜내어 축적하는 시대의 말기로 접어들고 있다. 먹을거리 자체가 금융 투기 수단의 하나가 되어왔다.

자본주의 먹을거리 체계의 문제는 인구과잉이 아니다. 인구 증가는 정체되었다. 문제는 지역사회가 너무나도 가난해서 생산되는 먹을거리를 살 수 없다는 유령에 있다. 세계 인구에게 문제는 먹을거리 부족이 아니라, 먹을거리를 공급하는 먹을거리 체계 자체이다. 유한한 세계에서 창조적인 파괴는 항상 위험한 주장이었다. 오늘날의 글로벌 먹을거리 체계는 인간의 삶을 지원하는 지구의 능력을 "창조적으로 파괴하고" 있다. 무제한적인 성장, 착취, 주기적인 금융위기에 의존하고 있고 자원을 고갈시키고 있는 먹을거리 체계는 '고칠' 수 없다. 그것은 변혁되어야만 한다.

먹을거리 가격 위기가 한창 극심할 때, '농업개발을 위한 지식과 과학기술에 대한 국제 평가International Assessment of Agriculture Knowledge, Science and Technology for Development'(IAASTD)는 지난 4년간의 상황을 평가하면서 다음과 같이 경고했다. "세계가 인구 증가와 기후변화에 대처하는 동시에 사회 붕괴와 환경 붕괴를 피하고자 한다면, 세계의 먹을거리 재배방식이 가난한 사람들과 굶주리는 사람들에게 더 잘 봉사할 수 있는 방향으로 급진적으로 변화해야 할 것이다."[2]

이것은 사소한 조정을 요구하는 것이 아니다. 이는 우리의 법, 규제, 무역 레짐, 다자간 제도 — 그리고 우리의 정부 형태 — 가 철저하게 변혁되어야 한다는 것을 함의한다. 이것은 먹을거리 체계가 뿌리내리고 있는 정치-경제체계를 바꾸지 않고는 우리가 기아나 환경 파괴를 끝낼 수 없다는 것을 의미한다.

이 주장의 절박함과 범위는 전문가들과 세계 지도자들로 하여금 다음과 같은 문제를 놓고 많은 고심을 하게 한다. 어떻게 하면 기존의 제도를 이용하여 그 동일한 제도를 변혁시킬 수 있을까? 정치가들은 권력을 유지하기 위해서는 자신들이 진보를 가져다줄 것이라는 점을 피지배자들에게 납득시켜야 한다. 자본주의가 발흥한 이후 진보를 위한 동력은 경제성장 — 그 사회적·환경적 비용이 얼마에 달하든지 간에 — 이었다. 성장을 줄이겠다고 약속함으로써 당선되는 사람은 아무도 없다. 우리는 더 이상 우리가 써왔던 방법으로 글로벌 위기에서 벗어날 수 없다.

먹을거리 체계는 오만함, 맹목적인 희망, 얄팍한 낙관주의를 뒤섞어서 자유주의적으로 맛을 낸 신제품들을 계속해서 내놓는 방식으로 이 곤경을 벗어나고자 한다(비록 현장에서 실제로 일어나고 있는 일이 진보의 주장과는 모순된다고 하더라도).[3] 기아와 환경 파괴의 원인과는 거리가 먼 기술적 해결책들을 계속해서 써먹는 것은 결코 좋은 일이 아니다. 그러나 정부와 다자간 기구들이 기아에 관한 엄연한 사실을 거짓 전달할 때, 그리고 더 잘 아는 전문가들이 '먹을거리를 두 배로 생산하자'라는 주문을 계속해서 외울 때, 그것은 정체政體에 대해 냉소적이게 만든다. 월스트리트는 상승세에 있을 수도 있지만, 사회제도에 대한 신뢰는 역대 최저 수준이다.

자본주의 먹을거리 체계가 세계를 파괴하지 않고는 세계를 먹여 살릴 수 없다면, 누가 세계를 파괴하지 않고 세계를 먹여 살릴 수 있는가?

통상적으로 이 지점에서 녹색 기술적 해결책과 참여적 대안들 — 유기 농업, 풀 먹인 쇠고기, 영속농업, 농민시장, 공동체 지원 농업, 도시 농업, 음식 쓰레기 재생, 심지어 농업생태학 — 이 토의의 대상이 된다. 현장에서 문서로 입증된 성공에도 불구하고, 이러한 제안들은 일상적으로 부업으로 치부되어 무시되거나 기존 먹을거리 레짐에 대한 무료 추가물 정도로 간주된다. 그러한 대안들이 기존의 체계만큼 생산적이지 않고 너무나도 노동집약적이거나 확대될 수 없다는 것이 그 이유로 제시된다. 하지만 기아와 환경 파괴 문제가 너무나도 심각하기 때문에, 그러한 대안들을 대응책의 바구니에 추가하기로 하자. 왜냐하면 우리에게는 취할 수 있는 모든 해결책이 필요하기 때문이다.

해결책의 빅 텐트에 그러한 대안들을 추가하는 것이 무시하는 것보다 틀림없이 더 나을 것이다. 식량농업기구(FAO), 국제농업연구 자문그룹(CGIAR), 그리고 기업의 농식품 웹사이트들에는 유전자 변형 생물체(GMO), 토지 절약, 기후-스마트 농업과 정밀 농업, 농업생태학, 혼농임업, 보존 농업, 그리고 여러 유망한 인간 친화적인 기술들이 어지럽게 뒤섞여 있다. 소매 부문은 자신들이 플라스틱 포장, 장거리 푸드 마일, 단일경작, 곡물-오일시드-축산 복합체에 의존하는 만큼이나 유기농 제품, 자신들의 '농민'시장, 음식 쓰레기 및 지역사회 먹을거리 원조 프로그램으로 자신의 웹사이트를 가득 채우고 있다. 이는 다행스럽게도 이 모든 해결책이 더 나은 먹을거리 체계를 위해 함께하고 있음을 보여준다. 그러나 이 같은 '모든 해결책' 접근방식 'all solutions' approach은 엄청난 모순을 가려버린다.

국제농업연구센터(IARC) 예산은 산업적 농업과 GMO에 심히 편중되어 있다. 미국 '농업법Farm Bill'에서 소규모 농부, 여성 농부, 유색인종 농부가 사용할 수 있는 돈의 양은 그 규모 면에서 상품 프로그램 및 먹을거리 지원 프로그램에 비해 미미하다. 앤디 피셔Andy Fisher가 법인 미국과 반기아 단체 간의 '비신성 동맹unholy alliance'을 분석하면서 지적하듯이, 응급 먹을거리 체계emergency food system는 하나의 산업이 되었다. '기아 산업 복합체hunger industrial complex'는 반기아 운동조직들을 매수하여 그 운동들이 경제적 불평등 및 저임금 — 임금이 너무 낮아서 노동자들이 살아남기 위해서는 공적 지원에 의존할 수밖에 없게 만드는 — 의 문제, 그리고 농부들이 받은 낮은 농산물 가격 문제와 역외 제품 공급 문제를 다루지 않게 만든다. 문제는 기아가 아니라 빈곤이다. 해결책은 자선이 아니라 가난한 사람들의 정치권력을 증대시키는 것이다.[4]

모든 해결책 접근방식에서는 이러한 서로 다른 제안 간의 모순과 정치적·경제적 권력의 불균형이 묻혀버린다. 유망한 대안들을 이용하여 기존 먹을거리 레짐을 점진적으로 변화시키는 시도가 처하는 심각한 문제는 그 어떤 제안도 그 자체로는 산업 먹을거리 체계가 누리는 시장 권력, 제도적 지원, 정치적 지원과 경쟁할 수 없다는 것이다. 먹을거리 체계의 구조를 변혁하기 위한 하나의 합치된 전략이 없이는, 그러한 대안들은 단지 주변적인 대안으로만 머물러 있게 될 것이다.

그렇다면 규제라는 관념 자체가 폐기된 자유시장 자본주의에서 우리는 어떻게 규칙과 규제를 바꿀 수 있는가? 정부 자체가 신자유주의적 자본주의의 핵심적 부분을 이루고 있는 상황에서 우리는 변화의 의지를 어떻게 정치적으로 창출할 수 있는가? 30년 동안의 민영화로 인해 공론장public sphere[민주적인 시민적 참여를 통해 공동체의 문제와 프로젝트가 논의되고 결정되는 사회적·문화적·제도적 공간_옮긴이]이 소멸된 상태에서 우리는 어떻게 사회적 권력을 구축할 수 있는가? 기술관료적인 자유시장 디스토피아에 의해 우리의 먹을거리 체계가 장악된 상황에서 어떤 비전이 우리를 인도할 수 있을 것인가?

대항운동

경제학자 카를 폴라니Karl Polanyi는 자본주의에 대한 치밀한 연구에서 자본주의 체계에서는 항상 자유화의 시기와 개혁의 시기가 번갈아 일어난다는 것을 발견했다. 자유화 시기 동안에 시장은 탈규제화되고 엄청난 부가 집중되었다. 자유시장이 공공재를 민영화하고 사회제도를 파괴하고 공동체, 살림살이, 환경을 황폐화시킴에 따라 사회 전체가 고통받았다. 그러면 불가피하게 자본축적 위기가 발생하여 금융위기와 경제적 파산을 초래하곤 했다.

위기의 와중에 사람들은 계급 간 동맹을 형성하여 급진적 변화를 요구하는, 폴라니가 '대항운동counter-movement'이라고 부르는 것을 일으켰다. 이러한 사회운동의 힘은 개혁주의자들에게 개혁을 실행하는 힘을 부여했다.[5] 이것의 마지막 글로벌 사례가 광란의 20년대Roaring Twenties와 1929년의 주식시장 위기에 뒤이은 대공황 시대였다. 수백만 명의 노동자와 실업자가 거리로 나와 노동조합과 정당을 조직했다. 자본주의의 사회 장악력은 점점 약화되고 있었다. 사람들이 사회주의로 전향하고 있다는 두려움에 사로잡힌 자본가들은 시장을 억제하고 과잉생산을 통제하고 부를 재분배하는 변화를 도입하려는 개혁주의자들을 받아들였다.

미국은 뉴딜 정책과 함께 진보적인 개혁을 도입했고, 그 일환으로 패리티 가격parity price[패리티는 농부들이 자신들의 생산물에 대해 공정한 가격, 즉 버젓하고 품위 있는 생계를 유지할 수 있을 만한 가격을 지불받아야 한다는 농업 개념이다_옮긴이], 토지 보존, 먹을거리 및 노동 프로그램을 시행했다. (독일과 이탈리아는 파시즘으로 나아갔다.) 제2차 세계대전 이후 엄격하게 규제된 자본주의하에서 이룩된 광범위한 경제적 번영은 역사적인 선례가 없던 것이었다.[6] 하지만 1980년대에 다국적기업과 금융 부문의 압력하에서 로널드 레이건Ronald Reagan 미국 대통령과 마가렛 대처Margaret Thatcher 영국 총리는 뉴딜 개혁을 취소하기 시작하며 현 단계의 글로벌 신자유주의를 선도했다.

2008년 세계 금융시장이 붕괴되고 전 세계에서 저항이 분출했을 때, 많은 논평자가 개혁이 절실하다고 생각했다. 그러나 각국 정부는 거의 예외 없이 시민보다는 은행을 구제하기로 결정했다. 자본주의는 먹을거리 체계와 환경에 대한 공격을 재개했다.

왜 사회개혁이 이루어지지 않았는가? 금융위기, 광범위한 고통, 저항 등 모든 요소가 갖추어진 것 같았다. 어찌된 일인가? 간단하게 말하면, 당시에 자본주의의 생존을 위협하기에는 대항운동이 너무나도 약했다.

금융위기 10년 후 자본주의는 경기침체의 징후를 전혀 보이지 않고 있다. 반대로 추출 산업은 땅에서 마지막 광물, 가스, 기름방울까지 파내기 위한 노력을 배가해 왔다. 산업적 농업은 더 취약한 새 땅으로 확장하고 있다. 그리고 소매 산업은 노동자 없이 기능하기 위해 설비를 개조하고 자동화하고 있고, 그로 인한 식생활과 환경 파괴 문제를 해결하기 위해 신제품을 발명하고 있다.

그러나 대항운동 역시 증가해 왔다. 먹을거리, 기후, 여성의 권리, 유색인종, 토착민과 관련한 운동들이 광범위한 다양한 먹을거리 운동에 앞장서고 있다. 이 '운동들의 운동movement of movements'은 변혁적 변화를 추구한다. 농업생태학 운동과 먹을거리 주권 운동이 이러한 노력의 중심에 자리 잡고 있다.

농업생태학: 기업 먹을거리 레짐에 저항하기

농업생태학은 녹색혁명의 사회적·환경적 파괴 경향에 대항하여 1980년대에 지속가능한 농업에 관한 과학으로 생겨났다. 특히 그것은 농부와 과학자 간의 지식의 공동 생산을 통해 출현했다. 농업생태학의 핵심은 지속가능한 농업생태계를 설계하고 관리하는 데에 생태학적 개념과 원리를 적용한 것이었다.[7] 소농 먹을거리 체계의 생태학에 기반을 둔 이 접근방식은 산업적 농업이 초래한 보다 광범한 결과와 싸웠다.

농업생태학의 범위는 농장에서 유역 단위watershed scale로, 그리고 전체 먹을거리 체계로 확대되었다. 농업생태학은 기업 먹을거리 레짐의 사회적·정치적 권력에 대항하기 위해 정치경제학을 자신의 중심에 합체시켰다. 농업생태학의 학문적 창시자 중의 한 사람인 스티브 글리스먼Steve Gliessman이 주장하듯이,

> [농업생태학은] 먹을거리 체계의 변화 속에서 습득하는 모든 형태의 지식과 경험을 중시한다는 점에서 범학문적이다. 농업생태학은 농장에서 식탁까지의 모든 이해관계자, 그리고 그 사이에 있는 모든 사람의 참여를 요구한다는 점에서 참여적이다. 그리고 농업생태학은 대안적 사회구조와 정책적 조치들을 통해 현재의 산업적 먹을거리 체계의 경제적·정치적 권력구조와 맞선다는 점에서 행동지향적이다.[8]

농업생태학에서 농부들은 자양물을 공급하기 위해 주로 가축 분뇨, 콩과류 식물, 지피작물을 이용한다. 잡초는 사이갈이, 윤작, 지피작물 심기, 사이 심기, 짚 깔기를 통해 관리된다. 해충은 섞어 심기를 하여 포식자를 끌어들임으로써, 다시 말해 윤작, 간작, 해충 유인 작물과 방제 작물을 이용하여 해충 주기와 해충 매개체를 차단함으로써 관리한다. 농업생태학은 고된 일에서 벗어나기 위해 작은 규모로 영농을 기계화하는 것을 막지는 않지만, 농부의 끊임없는 관심, 기술, 창의력을 요구한다. 일부 농업생태학적 관행은 더 많은 노동을 필요로 하지만(특히 그

관행들이 제대로 확립되기 이전인 초기 이행기에 그랬다), 많은 관행은 농업 연도 동안 노동을 줄이거나 보다 균등하게 분산시킨다.

비록 그러한 관행들은 서로 다른 농업생태학적 관리방식들의 사례 가운데 하나일 뿐이지만, 자본주의 농업이 왜 농업생태학에 질색하는지를 보여준다. 농업생태학은 (자본집약적이기보다는) 지식집약적이며, 농업 관련 기업들에게 종자, 비료, 농약을 판매할 수 있는 기회를 제공하지 않는다.

오늘날 많은 대학에서 농업생태학을 가르치고 있으며, 여러 과학잡지에서 농업생태학을 다루고 있다. 농업생태학은 많은 비정부 개발 프로젝트에서 선호되는 농업방식으로, 전 세계에서 소규모 자작농들에 의해 널리 채택되어 왔다. 농업생태학은 IAASTD와 전직 국제연합 먹을거리 권리 보고관United Nations Rapporteur on the Right to Food에 의해 기아를 끝내고 빈곤을 제거하고 기후변화에 대처할 최고의 농업방식으로 인정받았다. 농업생태학은 소련이 몰락하고 석유 및 비료에 대한 보조금이 중단된 이후 쿠바가 자신의 경작체계를 재건하는 데 일조한 것으로도 널리 인정받고 있다.

그러나 농업생태학은 미국 국제개발처Agency for International Development, 국제농업연구 자문그룹(CGIAR), 아프리카 녹색혁명 동맹Alliance for a Green Revolution in Africa, 영국 국제개발부

Department for International Development(DFID), 세계은행·미주개발은행·아프리카개발은행·아시아개발은행의 농업개발 프로그램에서는 중요한 부분을 차지하지 않는다. 미국 국립과학재단National Science Foundation(NSF)이 농업생태학에 제공하는 연구기금은 산업적 농업에 제공되는 연구기금의 1%에도 미치지 못한다.

농업생태학이 그렇게 중요하다면, 왜 농업 개발기관들이 농업생태학을 지원하지 않는가? 간단하게 답하면, 그러한 기관들은 산업적 농업을 발전시키고 정교화하고 확산시키고 자본주의의 투자 기회를 확대하는 것을 목적으로 하기 때문이다. 농업생태학은 자본이 먹을거리 가치사슬의 상류 활동을 전유할 수 있는 길을 좁히기 때문에 자본주의 농업의 목적에 반하는 방식으로 작동한다.

오늘날 농업생태학은 하나의 과학이자 실천일 뿐만 아니라 하나의 사회운동이기도 하다. 2015년 국제 농업생태학 포럼nternational Forum for Agroecology의 한 보고서에서 국제 농민운동 조직인 '라 비아 캄페시나La Via Campesina'는 다음과 같이 진술했다.

소규모 생산자가 실행하는 농업생태학은 지역 지식을 창출하고 사회 정의를 증진시키고 정체성과 문화를 육성하며 농촌 지역의 경제적 생존능력을 강화한다. …… [그것]은 정치적이다. 농업생태학은 우리에게 사회의 권력구조에 도전하고 그것을 변혁시킬 것을 요구한다. 우리는 종자, 생물다양성, 땅과 영토, 물, 지식, 문화, 공유지의 통제를 세상을 먹여 살리는 사람들의 손에 맡겨야 한다.[9]

1980년대 초부터 아프리카, 라틴아메리카, 아시아의 수많은 비정부기구(NGO)가 전통적 지식과 현대 농업생태과학의 요소들을 통합한 수많은 농업생태학 프로젝트를 추진해 왔다.[10] 먹을거리, 생계, 기후와 관련된 수많은 위기가 증가함에 따라 농업생태학적 농업이 제공하는 사회적·환경적 서비스의 중요성이 널리 인정받고 있다.

농업생태학은 NGO, 농민운동, 대학 프로젝트의 노력 등을 통해 널리 확산되어 왔지만, 기아를 종식시키거나 기후변화를 역전시키기 위한 정부와 다자간 노력에서는 여전히 주변적이다. 이와 대조적으로 쿠바와 같은 나라에서 농업생태학이 눈에 띄게 확산된 것은 대체로 정부의 강력한 구조적 지원에서 비롯된다.[11] "왜 모든 농민이 농업생태학을 실행하지 않는가?"라고 묻는 것은 "무엇이 농업생태학을 저지하고 있는가?"라는 질문을 제기하게 한다. 간단하게 답하면, 그것은 자본주의 농업이다.

먹을거리 안정성인가 아니면 먹을거리 주권인가?

기아와 영양실조를 겪는 사람·지역사회·가정은 일반적으로 '먹을거리 불안정' 상태에 있는 것으로 묘사된다. 먹을거리 안정성food security은 "먹을거리 소비를 계속해서 늘리고 생산과 가격의 변동을 상쇄하는 적절한 세계 먹을거리 공급체계 속에서 사람들이 기본 식료품을 항시 이용할 수 있는 것"으로 정의된다.[12] 건강하고 활동적인 삶에 필요한 충분하고 안전하고 영양가 있는 먹을거리에 모든 사람이 항상 물리적·경제적으로 접근하여 자신들의 식생활 요구와 먹을거리 선호를 충족시킬 때, 우리는 먹을거리 안정이 존재한다고 말할 수 있다. "먹을거리 안정성을 구성하는 네 가지 기둥은 이용 가능함, 접근 가능함, 유용함, 안정적임이다."[13]

먹을거리 안정성에 대한 이러한 정의는 먹을거리의 재배방식, 먹을거리의 영양적 가치, 그 먹을거리의 공급자, 또는 그 먹을거리에 접근하는 방식을 다루지 않는다. 먹을거리 안정성에 대한 이 정의에 의하면, 사람들은 감옥에서 먹을거리 안정성을 확보할 수도 있다. 이것은 부수적인 문제가 아니다. 어디서 온지 모르는 먹을거리도 글로벌 먹을거리 체계에 완벽하게 부합한다. 먹을거리 안정성을 이런 식으로 이해하는 것은 지구 북부가 자신의 과잉 곡물을 지구 남부에 덤핑 처리하여, 표면상으로는 주민들이 먹을거리 안정성을 더욱 확보하는 것처럼 보이게 만들면서 실제로는 현지 먹을거리 체계를 파괴할 수 있게 해준다. 그리하여 2008년과 2011년처럼 글로벌 먹을거리 가격이 급등하면, 가난한 나라들과 가난한 집들은 굶주린다. 왜냐하면 그들에게는 자신들이 기댈 수 있는 지역 먹을거리 체계가 없기 때문이다. 먹을거리 안정성 개념은 먹을거리 종속 문제를 다루지 않는다.

이것이 바로 라 비아 캄페시나 — 약 2억 명의 회원을 보유한 국제 농민·목축민·어민 단체 — 에 의해 먹을거리 주권food sovereignty 개념이 개발된 이유이다. 먹을거리 주권은 전 세계의 수많은 단체와 사회운동, 특히 세계여성행진World March of Women에 의해 하나의 지도 개념으로 채택되었다. 먹을거리 주권은 처음부터 신자유주의적 자본주의와 기업 먹을거리 레짐에 도전해 왔으며, 토지개혁, 세계무역기구World Trade Organization(WTO)에서 먹을거리와 농업의 제외, 농식품 독점의 해체, 그리고 가부장제의 종식 및 세계의 대다수 농민 — 여성 — 에 대한 모든 폭력의 종식과 같은 구조적 정책을 제안해 왔다. 2007년에 라 비아 캄페시나가 선언한 바와 같이,

> 먹을거리 주권은 생태학적으로 건전하고 지속가능한 방법을 통해 생산된 건강하고 문화적으로 적절한 먹을거리에 대한 권리이며, 자신의 먹을거리와 농업체계를 규정하는 권리이다. 먹을거리 주권은 먹을거리 체계와 정책의 핵심에 시장과 기업의 요구보다는 먹을거리를 생산·유통·소비하는 사람들을 위치시킨다. 먹을거리 주권은 다음 세대의 이익을 옹호하고 포함시킨다. 먹을거리 주권은 현재의 기업 무역 및 먹을거리 레짐에 저항하고 그것들을 해체하는 전략을 제공하며, 지역 생산자들이 먹을거리·경작·목축·어업 체계를 결정하는 데에 지침을 제공한다. 먹을거리 주권은 개별 지역 및 국가에 기반한 경제와 시장에 우선권을 부여하고, 농민과 가족 농민 주도의 농업, 전통어업, 목축민 주도의 방목, 그리고 환경적·사회적·경제적 지속가능성에 기초한 먹을거리의 생산·유통·소비에 권력을 부여한다.[14]

먹을거리 주권은 기아와 환경 파괴를 종식시킬 수 있는가?

기술적 용어인 먹을거리 안정성과 달리, 먹을거리 주권은 하나의 정치적 비전이자 사회운동이며 저항 관행이다. 먹을거리 주권 운동에 참여하는 사회운동조직과 공동체들은 다양한 형태를 띠고 있다. 미국의 먹을거리 정의 운동food justice movement과 같은 일부 운동은 먹을거리 주권 운동과 원칙을 공유하기는 하지만 용어 자체는 공유하지 않는다. 멕시코 치아파스Chiapas에 있는 사파티스타Zapatista 원주민 공동체를 제외하면, 자신들의 먹을거리 체계를 통제하는 자치적인 먹을거리 주권 집단은 거의 없다.

하지만 실제로는 많은 운동단체가 먹을거리 주권 원칙을 실행함으로써 먹을거리 주권 구축에 실질적으로 기여하고 있다. 이를테면 이베리아 반도의 바스크 지방Basque에서 결성된 바스크 농부연합EHNE-Bizkaia은 공동체 지원 농업community-supported agriculture(CSA) 네트워크를 개발했다. 각 농부는 30개의 도시 가정에 야채 바구니를 공급했다. 강한 북풍이 한 농부의 온실을 날려버려서 작물을 못 쓰게 만들었을 때, 그 농부는 EHNE의 30명의 동료 농부로부터 그가 매주 회원에게 보내야 하는 야채 바구니를 기증받았다. 그의 CSA 회원들은 자신들의 먹을거리를 받았고, 농부는 매주 수입을 얻었다. 주말에는 CSA 회원들과 EHNE 회원들이 농부가 온실을 재건하는 것을 도왔다. 바스크 농부연합은 자신의 CSA 네트워크에 먹을거리 주권의 토대인 연대와 형평성을 구축했다. 농부 에스티 레돈도Esti Redondo는 다음과 같이 단언했다.

> 먹을거리 주권은 우리가 사회를 변화시키는 데 도움을 주는 하나의 권리이자 유토피아이다. 자신들의 생산수단과 먹을 것을 스스로 결정하는 것은 모든 사람의 권리이다. 이러한 권리가 존재하게 하기 위해서는 오늘날 우리가 가지고 있는 모든 사회적·정치적 구조를 바꾸어야만 한다. 먹을거리 주권은 제도에 대한 투쟁이자 좋은 생계를 위한 투쟁이다.[15]

프랜시스 무어 라페Frances Moore Lappé와 조셉 콜린스Joseph Collins는 전 세계에서 기업 먹을거리 레짐에 대항하며 대안을 발전시키고 자신들의 먹을거리와 삶을 하나씩 통제해 나가면서 공동체들이 이룩한 유사한 성과들을 묘사한다.[16]

- 인도 안와르 프라데시Anwar Pradesh 주에 있는 푸누쿨라Punukula 마을은 매년 수십 명의 농부가 농약에 중독되던 인도

의 '농약 수도pesticide capital'에서 농약으로부터 완전히 자유로운 마을로 탈바꿈했다. 농부들은 농약 사용을 중단하고 지역의 자연제품(님neem[님 나무의 씨로 만든 살충제 대용품_옮긴이]과 같은)을 사용했다. 그들은 그 후 1만 2000개의 마을과 200만 개의 작은 농장에 구축된 광범위한 농부 현장 학교farmer field school 네트워크를 통해 자신들이 농약에서 벗어난 방법을 다른 사람들에게 가르쳤다.

- 인도 우타라칸드Uttarakhand 주에 있는 여성 종자 살리기seed-saving 단체인 나브다냐Navdanya는 도처에 있는 님 나무와 관련한 특허를 저지하는 비다 사티아그라하Bida Satyagraha(종자 자유Seed Freedom) 운동을 시작했다. 그들은 렌즈콩, 밀 및 여타 품종뿐만 아니라 인도 전역에서 3000종 이상의 쌀 품종을 보존했다. 50만 명이 넘는 농부가 운동에 참여했고, 이는 우타라칸드로 하여금 자신을 '유기농 국가organic state'라고 선언하게 했다.
- 수십만 명의 무토지 농장 노동자를 동원한 브라질 무토지 노동자 운동Brazilian Landless Workers Movement(MST)은 브라질 헌법을 곧이곧대로 받아들였다. 그들은 "사회적 기능을 수행하지" 않는 유휴지에 침입하여 실제로 자신들의 방식으로 토지개혁을 시행했다. MST는 2500곳 이상을 점거했고, 그 땅

에 100만 가구 이상을 정착시켰다. 이 새로운 MST 농장들에 2000개 이상의 학교가 세워져서 15만 명의 아이들과 3000명의 성인을 교육하기 시작했다. 특수 농업생태학 학교들은 농장 가족들에게 교육을 제공하고 있다. MST의 영향은 그 농장들을 훨씬 넘어서는 것이었다. MST는 브라질 먹을거리 주권 운동의 주요 조직 중 하나로, 브라질 노동당이 집권하게 하는 데서 중요한 역할을 했으며, 큰 성공을 거둔 포미 제로Fome Zero(Zero Hunger) 프로그램을 비롯하여 국가가 후원하는 개혁들을 추진했다.

라페와 콜린스는 먹을거리 주권으로 가는 길에서 이룩한 다른 많은 성과도 기록하고 있다. 거기에는 라틴아메리카에서 전개된 '농민에게서 농민에게로' 운동, 에티오피아의 티그라이Tigray 주, 부르키나 파소Burkina Faso, 말라위Malawi 등에서 거둔 혼농임업의 성공, 아프리카 전역에서 일어난 지속가능한 쌀 강화의 효과, 서아프리카·아시아·브라질에서 농업 관련 기업에게 책임을 묻는 농부들로 구성된 시민 배심원단이 포함되어 있는데, 그러한 노력들 대부분은 또한 투쟁의 구성요소의 하나로 농업생태학을 포함하고 있다. 라 비아 캄페시나는 먹을거리 주권을 성취하기 위한 자신의 농업 접근방식으로 농업생태학을 채택해 왔다.

풀뿌리 농업개발 기관인 '그라운드웰 인터내서널Groundswell International'은 서아프리카 전역에서 시행된 농민 관리형 자연재생farmer-managed natural regeneration(FMNR) 사업과 온두라스, 브라질, 아이티, 에콰도르에서 농민 주도로 전개된 농업생태학 운동을 자세히 기록해 왔다.[17] 미국과 유럽, 그리고 호주는 라틴아메리카와 세계 다른 지역 도처로 퍼져나가며 성장을 계속하고 있는 영속농업 운동을 주도하고 있다.

이러한 다양한 노력은 농업생태학과 먹을거리 주권의 접합을 보여주는 몇 가지 사례일 뿐이다. 이 수렴에서 인상적인 것은 사람들이 먹을거리를 스스로 통제하고 전 세계의 환경을 스스로 보호하자고 주장한다는 것만이 아니다. 그들은 자원이 부족함에도 불구하고 자신들의 투쟁 대상인 먹을거리 레짐 내에 자신들의 근거지를 확보하고 있다는 것 또한 인상적이다.[18] 그렇다면 그들은 더 늦기 전에 먹을거리 체계를 변혁시키기에 충분할 만큼 강력하게 (그리고 빨리) 글로벌 대항운동을 구축할 수 있을까? 아마도 그럴 것이다. 하지만 거기에는 몇 가지 엄청난 과제가 있다.

모든 것을 변화시키기:
먹을거리, 자본주의, 그리고 우리 시대의 과제들

세상을 파괴하지 않고 세계를 먹여 살리기 위해서는 자본주의적 먹을거리 체계에 대한 대안을 구축해야만 한다. 이것은 자본주의 자체에 대한 대안을 구축해야 한다는 것을 의미한다. 이것은 과거에도 시도해 온, 하지만 부분적인 성공만을 거둔 (그리고 일부 비참한 결과를 초래하기도 한) 거대한 정치적 프로젝트이다. 자본주의는 체계에 도전하는 것에 대해 친절하게 대하지 않는다. 그렇다고 하더라도 지구상의 생명체에게 유독한 체계에 대해 사소한 조정을 계속해서 요구하는 것은 무익하다.

다행히도 먹을거리 체계는 이 점에서 좋은 위치를 차지하고 있다. 우리가 생산하고 소비하는 방식이 우리 사회가 조직되는 방식을 결정한다. 그러나 우리가 사회와 정치를 조직하는 방식이 우리가 생산하고 소비하는 방식을 결정할 수도 있다. 문제는 자본주의를 대체함이 없이 우리가 기아를 종식시킬 수 있는가가 아니라, 강력한 먹을거리 운동이 어떻게 사회를 자극하여 심층적인 체계 개혁을 요구하게 할 수 있는가 하는 것이다. 그 개혁에 우리의 공동의 미래가 달려 있다.

빈곤, 기아, 영양실조를 종식시키거나 지구 온난화와 환경 파괴를 되돌리기 위해 제시된 다양한 접근방식이 가진 잠재력을 평가할 때, 우리는 그러한 전략들이 먹을거리 체계의 권력관계에 어떻게 영향을 미칠지 또한 물어야 한다. 그러한 전략들이 현상現狀에 도전하는가, 아니면 순응하는가? 퇴행적인가, 아니면 재분배적인가? 제어받지 않는 기업 통제의 장 내에 권력을 집중시키는가, 아니면 가난한 사람들에게 이익이 되도록 우리의 먹을거리 체계를 탈중심화하고 민주화하기 위해 노력하는가? 사회운동을 강화시킬 것인가, 아니면 약화시킬 것인가? 그러한 접근방식들이 기업 먹을거리 레짐의 외부효과를 그저 완화시킬 뿐인가, 아니면 레짐 자체를 극복하는 데 실제로 도움이 되는가?

먹을거리 주권과 농업생태학 운동은 그 자체로는 먹을거리 레짐을 변혁시킬 수 있는 충분한 권력을 구축할 수 없을 것이다. 그것들은 토착민 운동, 기후 정의 운동, 여성운동과 같은 진보적인 사회적·경제적 변화를 추구하는 다른 집단들과 단결해야 할 것이다. 이러한 광범위한 동맹은 급진민주주의 운동, 탈성장 운동, 무역개혁 운동과 동맹을 맺는 것과 마찬가지로 운동권력을 구축하는 데서 핵심적이다. 이 수렴은 잘 이루어지고 있지만, 심각한 과제들에 직면해 있다.

우선, 오늘날의 대항운동의 성격과 자본주의에 대한 위협은 1930년대와는 매우 다르다. 오늘날 초기 단계에 있는 대항운동은 노동당과 진보적인 정당들에 의해 정의되고 주도되기보다는 토착 공동체, 환경주의자, 페미니스트, 농민과 가족 농부, 먹을거리 노동자, 농장 노동자, 유색인종, 이민자, 청년들을 대표하는 다양한 일련의 이해관계자로 구성되어 있다. 오늘날 자본주의에 대한 최대 위협은 공산주의가 아니라 빈곤, 기아, 기후재앙, 대량이주의 치명적인 조합으로부터 초래되는 통치불가능성이다. 게다가 전 세계에서 발생하는 네오파시스트 운동이 예증하듯이, 우리는 끝도 없이 계속되는 자본주의의 위기에 대한 반동적인 전체주의적 반응의 위협 역시 배제할 수 없다. 강력한 진보적 먹을거리 운동을 구축하는 것은 민주주의, 형평성, 체계 변혁을 이루기 위한 훨씬 더 큰 정치적 투쟁의 일부이다.

인종차별주의, 계급주의, 성차별주의의 역사적 분열은 신자유주의로 인한 국가의 수축과 공론장의 부식에 의해 악화되어 왔다. 정부의 사회적 기능이 제거되었을 뿐만 아니라 공동체 내의 사회적 네트워크가 약화되었고, 폭력 수준이 증가했고, 인종 긴장이 심화되었고, 문화 분열이 심화되었다. 사람들은 지역 공동체보다는 글로벌 시장에 기여하도록 재구조화된 사회의 환경 속에서 기아·폭력·빈곤·기후변화의 문제에 맞서야 하는

과제를 안고 있다.[19]

경제학자 사미르 아민Samir Amin은 이러한 상황에 효과적으로 대처하기 위한 방법으로 사회운동의 비판적 '재정치화'와 함께 '다양성 속의 단합'을 전략으로 제안한다. 이는 자본주의 먹을거리 체계에 대한 대안적 관행과 시장을 구축하는 것뿐만 아니라 자본주의의 퇴행적 구조를 경제적으로 민주적이고 진보적이고 재분배적인 형태의 거버넌스로 정치적으로 대체하는 것을 의미한다.[20]

공론장에서의 활동이 이 과제를 수행하는 데 필수적이다. 글로벌 엘리트들은 이를 잘 알고 있다. 그들은 매년 스위스 다보스에서 개최되는 세계경제포럼World Economic Forum — 세계에서 최고로 배타적인 '공론장' — 에서 매년 만난다. 거기서 몬산토, 신젠타, 엑손, 월마트 및 여타 독점체들이 억만장자인 자선-자본가들, 그리고 국제통화기금International Monetary Fund과 세계은행 같은 다자간 기구들과 함께 자본주의의 미래에 대해 논의한다.

이제 필요한 것은 바로 (엘리트가 아닌) 대다수가 함께 모여 기아를 종식시키고 기후변화를 되돌리고 우리의 정치-경제체계를 변혁시키는 데 시급하게 요구되는 전략을 정식화하고 조치를 취해나갈 '비판적 공론장'이다.

이 비판적 공론장들은 이미 구축되고 있는 중이며, 점점 더 국경, 언어, 문화, 계급을 가로지르며 형성되고 있다. 그러한 공론장들이 성장하고 있다. 2001년에 세계사회포럼World Social Forum(WSF)이 세계경제포럼에 대항하여 출범했다. WSF는 15회 개최되었다(그에 앞서 매년 많은 나라에서 각국 사회포럼이 열렸다). WSF에는 전 세계에서 수십만 명의 사람들이 참석한다. 라 비아 캄페시나와 2억 명의 회원은 먹을거리 주권이라는 대의를 진전시키기 위해 국가 모임, 지역 모임, 세계 모임을 개최한다.

미국, 캐나다, 호주에서는 수백 개의 먹을거리 정책협의회가 지역 먹을거리 체계의 규칙과 제도를 민주적으로 바꾸기 위해 노력해 왔다. 시민사회는 FAO의 자문공간 내에 강력한 공적 자리를 구축해 왔다. 공동체 지원 농업, 지역 먹을거리 정책협의회, 그리고 수천 개의 농장-학교 프로그램은 산업적 농식품 체계를 우회하여 먹을거리 체계 내에 민주적인 의사결정 공간을 구축하고 있다.

공정하고 지속가능한 건강한 먹을거리를 위한 직접 참여 프로젝트들도 의식적으로든 무의식적으로든 간에 여러 면에서 우리의 공론장을 처음부터 다시 구축하고 있다. 그렇다면 그 프로젝트들은 충분할 정도로 진척되고 있는가? 이를테면 지역사회 농장 프로젝트들은 시의회에 재분배적 형태의 규제를 요구하는 정치적 지역사회 단체를 역시 조직화하고 있는가? 농부 현장 학교는 지역사회 출신 지도자들이 농업지원 서비스·물·토지에 대한 권리를 요구할 만큼 그들을 교육하고 결집시키고 있는가? 먹을거리 정책위원회는 먹을거리 체계 내에서의 노동권, 인종차별주의, 성차별주의를 다루는 사회적 플랫폼도 제공하는가? 부활한 농민공제조합Grange(미국에 실존했던 농촌협회)과 토지신탁 및 토지은행은 농업개혁의 필요성 역시 제기하는가? 공정한 먹을거리 단체들과 노동자 권리 단체들은 자신들의 일과 이민자의 권리를 연계시키고 있는가? 이러한 노력들을 분명하게 표현하고 정치화하는 것이 바로 우리의 과제이다.

많은 먹을거리 운동은 이미 지역사회 정치활동을 통해 그러한 일을 수행하고 있다. 진보적인 농업생태학 운동가, 좋은 먹을거리 운동가, 먹을거리 정의 운동가들은 우리의 먹을거리 체계의 관행을 바꾸는 일을 계속해서 수행할 필요가 있다. 종자·화학물질·먹을거리 독점체들의 종식을 요구하고 WTO에서 먹을거리를 제외시키고 농업개혁을 시행할 것을 요구하는 급진적인 먹을거리 주권 단체들은 우리의 먹을거리 체계의 구조를 바꾸기 위한 정치활동을 계속해서 수행할 필요가 있다. 진보주의자들의 활동과 급진주의자들의 활동이 함께 이루어질 때, 그리고 먹을거리 운동이 기후 정의 운동, 여성운동, 이주자 권리

운동, 그리고 여타 해방운동들과 동맹을 구축할 때, 반자본주의 대항운동은 먹을거리 레짐에 심층적인 변혁적 개혁을 강요하기에 충분할 만큼 강력해질 것이다.

어떤 구체적인 정책들이 이들 운동을 하나로 묶어 변화를 이루어낼 수 있는가? 긴 상황별 정책 리스트는 규제 영역, 공적 지원 영역, 풀뿌리운동 구축 영역으로 느슨하게 나누어질 수 있다. '지속가능한 먹을거리 체계에 관한 국제 전문가 패널 International Panel of Experts on Sustainable Food Systems'은 그러한 정책들로 농업생태적 생산체계의 다각화를 지원하고 농업생태학을 주류로 진입시키기 위해 자원을 농업개발, 교육, 연구기관에 배정하는 일, 짧은 (지역) 공급망과 대안적 소매 인프라를 지원하는 일, 그리고 다양한 수준에서 지역 먹을거리 계획과정을 지원하고 회복적이고 공평하며 지속가능한 먹을거리 프로젝트와 정책들을 지원하는 일을 제시한다(그러나 결코 이것들에만 한정되는 것은 아니다).[21] 이것은 자급경제나 국제무역을 종식시킬 것을 요구하는 것이 아니라, 보완성을 구축하는 쪽으로, 즉 사회적·환경적으로 가능하다면 가급적 지역 규모로 생산하고 통제하는 쪽으로 나아가자는 것이다.

몇 가지 기본적인 구조적 지침은 분명해 보인다.

첫째, '오염자 부담'의 원칙에 의거하여, 토양 오염, 수질 오염, 대기 오염 등 모든 형태의 오염을 비롯하여 먹을거리 생산의 환경적·사회적 비용을 먹을거리 가격에 내부화해야 한다. 만약 먹을거리 노동자와 농장 노동자들이 생활임금을 지불받고 착취와 화학물질 중독으로부터 자유로운 괜찮은 노동 조건을 보장받는다면, 그것은 산업적 농업의 파괴적 관행 대부분에 역유인이 될 뿐만 아니라, 대규모의 산업적 시설 — 자신들의 비용을 외부화하는 경향이 있는 — 과 보다 작은 노동집약적이고 지식집약적인 시설 간의 경제 운동장을 평평하게 하는 데 도움이 될 것이다. 그것은 더 많은 일자리를 창출하고 시골에 부를 유지하게 하는 데 도움이 될 것이다.

게다가 만약 농부들이 지속가능한 생산 쿼터(그리고 제한)에 근거하여 경제적 지원을 받고 자신들의 생산물에 대해 패리티 가격을 지불받는다면, 그것은 과잉생산을 종식시키고 그들에게 자신들의 농장에 가장 적은 양의 화학 투입물을 사용하게 하는 유인이 될 것이다. 만약 농촌 공동체들이 시골의 보건, 교육, 복지에 대한 공적 표적 투자를 통해 나쁘지 않은 사회적 임금을 보장받는다면, 패리티 가격이 과도할 필요도 없다. 대대적인 환경 복원 노력에 대해 인센티브를 제공하고 공공 프로젝트를 실시하는 것은 농업에서 온실가스 배출을 줄이고 일자리를 창출하고 황폐화된 토양과 농업생태계를 회복시킬 것이다.

기술 패러다임은 '하이테크high-tech'에서 '와이드테크wide-tech'로 전환하여, 지식과 혁신의 다각화와 분산, 그리고 오픈 액세스 기술open access technology에 초점을 맞추어야 한다.[22] 이 모든 것이 시골을 유독한 불모지와 가난한 벽지에서 지속가능한 생계를 가능하게 하는 건강하고 바람직한 곳으로 바꾸어놓을 것이다.

둘째, 먹을거리·농업·화학물질 독점체의 권력을 해체하고, 소비자뿐만 아니라 가족 농민들을 보호하는 데 초점을 맞추어야 한다. 이것은 기존의 독점금지법을 실제적으로 집행함으로써 시작할 수도 있지만, (사회적·환경적 목적에 기여하지 않는) 집중화된 토지와 자원을 재분배하는 것을 포함하여 전체 먹을거리 체계 곳곳에 분산되어 있는 시설들에 인센티브를 제공하는 것과 함께 시행될 필요가 있다. 먹을거리와 농업 부문 공급망의 불공정 관행 및 전全 부문 통합은 특별 감독을 받아야 하며, 먹을거리는 모든 사람이 권리를 갖는 특별한 상품으로 취급되어야 한다.

셋째, 토지, 물, 시장과 같은 먹을거리 체계 자원에 대한 사회적 소유권과 민주적 거버넌스에 대한 인센티브 및 보호가 시행되어야 한다. 새로운 기술(나노기술과 빅 데이터 같은)은 그 기술들이 기업 합병에 미치는 영향뿐만 아니라 환경적 영향까지도 고려하여 규제되어야 한다. 농약회사가 종자회사를 소유하게 해서는 안 된다. 농기계회사가 화학물질, 종자, 또는 작물보험을 통제하게 해서는 안 된다. 국제경쟁과 합병에 관한 조약은 교섭을 통해 결정되어야 한다. 먹을거리, 토지, 물, 자연자원에 대한 금융투기금지법과 먹을거리에 대한 재판회부권이 국제적으로 채택되어 시행되어야 한다.

우리의 먹을거리 체계에 필요한 심대한 변화를 이루기 위해 우리가 얼마나 오랫동안 노력해야 할지는 분명하지 않지만, 여러 점을 고려해 볼 때 그것은 수십 년이 걸리는 문제이다. 우리가 원하는 모습들이 출현하고 있기는 있지만, 우리는 그러한 변화가 종국적으로 어떤 형태로 나타날지는 정확하게 알지 못한다. 그러나 우리는 우리가 기업 먹을거리 레짐과 계속해서 함께 한다면 어떤 일이 일어날지는 알고 있다. 엄청난 기아가 발생하고 사회와 환경은 붕괴할 것이다. 우리의 정치적·경제적 제도가 지구를 치유하고 기아를 종식시키는 길로 나아가게 하기 위해서는 지역적 사회운동과 지구적 사회운동의 단합된 힘이 필요하다.

사회운동은 행동주의와 생계가 하나로 통합될 때 성공한다. 이러한 통합된 사회운동들은 개혁을 위한 정치적 의지를 생산하는 사회적 압력을 지속적으로 창출한다. 이러한 정치적 의지

야말로 현재 지속가능성과 형평성에 반하여 작동하고 있는 정치적·경제적 구조를 변화시키는 열쇠이다.

누가 세계를 파괴하지 않으면서 세계를 먹여 살릴 수 있는가? 우리가 할 수 있다. 모든 것을 바꿈으로써.

더 읽을거리

먹을거리, 기아, 환경문제에 관한 문헌들은 방대하고 매일 증가하고 있다. 그러한 저작들 대부분은 아마르티아 센Amartya Sen의 저작 『빈곤과 기근: 자격 부여와 박탈에 관한 에세이Poverty and Famines: An Essay on Entitlement and Deprivation』(Clarendon Press, 1982)에 기초하고 있다. 센은 『빈곤과 기근』에서 현대 기아는 먹을거리 부족의 결과가 아니며 민주적 정부하에서는 기아가 발생하지 않는다는 것을 입증한다. 프랜시스 무어 라페Frances Moore Lappé는 자신의 불후의 저작 『작은 행성을 위한 식단Diet for a Small Planet』(Ballantine Books, 1971)에서 먹을거리와 환경 모두에 비非부족non-scarcity의 틀을 적용하여, 선진국들이 먹을거리 사슬에서 너무 많은 것을 먹는다고 주장했다. 그다음에 라페는 조셉 콜린스Joseph Collins와 함께 『세계의 기아: 열두 개의 신화World Hunger: Twelve Myths』(Grove Press, 1986)[우리말 번역본 제목은 『굶주리는 세계: 식량에 관한 열두 가지 신화』_옮긴이]를 출간했다. 피터 로셋Peter Rosset은 (루이스 에스파르자Luis Esparza와 함께) 라페와 콜린스의 『세계의 기아』 개정 작업에 합류했다(이 개정 2판은 1998년에 출간되었다). 이 판에서 저자들은 분석틀을 심화하고 확장하여, 사람들은 기회가 주어진다면 스스로를 먹여 살릴 수 있다고 주장했다. 라페와 콜린스는 나중에 『세계의 기아: 열 개의 신화World Hunger: Ten Myths』(Grove Press/Food First Books, 2015)를 썼는데, 그 책에서 저자들은 '먹을거리 민주주의'라고 부르는 과정에서 지역사회가 먹을거리 체계에 대한 통제권을 되찾음으로써 어떻게 기아를 종식시키는지를 보여주는 많은 사례를 제공한다.

라즈 파텔Raj Patel은 『배불리 먹는 자와 굶는 자Stuffed and Starved』(Melville House, 2008)[우리말 번역본 제목은 『식량전쟁: 배부른 제국과 굶주리는 세계』_옮긴이]에서 건강과 과잉소비의 문제를 기아 및 환경 파괴와 연관짓는다. 파텔은 또한 나와 애니 샤툭Annie Shattuck과 함께 쓴 『먹을거리 반란: 위기와 정의에 대한 갈망Food Rebellions: Crisis and the Hunger for Justice』(Pambazooka Press/Food First Books, 2009)[우리말 번역본 제목은 『먹거리 반란: 모두를 위한 먹거리와 지속가능한 미래를 위한 혁명』_옮긴이]의 공동 저자이기도 하다. 『먹을거리 반란』은 2008년 먹을거리 위기의 구조적 원인을 분석하고, 정부, 거대 자선단체, 다자간 기관 및 먹을거리 산업에 의해 진전되고 있는 잘못된 해결책을 검토하고, 기업 먹을거리 레짐에 도전하는 대안적 접근방식을 소개한다.

보다 비판적인 맥락에서 먹을거리 문제를 파헤치고 있는 저작으로는 다음의 것들이 있다. 데이비드 리프David Rieff의 『기아에 대한 비난: 21세기의 먹을거리, 정의, 돈The Reproach of Hunger: Food, Justice, and Money in the Twenty-first Century』(Simon & Schuster, 2015)은 거대 자선단체와 셀럽 행동주의celebrity activism가 지닌 잘못된 낙관주의를 일깨워준다. 리처드 워커Richard Walker가 쓴 『빵의 정복: 캘리포니아 농업 관련 기업 150년사The Conquest of Bread: 150 Years of Agribusiness in California』(The New Press, 2004)는 캘리포니아에서 농업 관련 기업과 슈퍼마켓 모델이 어떻게 부상했는지를 상세히 기록하고 있다. 위노나 하우터Wenonah Hauter가 쓴 『푸도폴리: 미국 먹을거리와 농업의 미래를 둘러싼 전쟁Foodopoly: The Battle Over the Future of Food and Farming in America』(The New Press, 2014)[우리말 번역본 제목은 『푸도폴리: 누가 먹거리를 독점하고 어떻게 망치는가』_옮긴이]은 농식품 기업의 (계속 성장하는 그리고 무책임한) 독점권력을 분석한다. 앤디 피셔Andy Fisher의 『대기아: 법인 미국과 반기아 단체들 간의 비신성 동맹Big Hunger: The Unholy Alliance Between Corporate America and

Anti-Hunger Groups』(MIT Press, 2017)은 먹을거리 독점체들의 겉치레 기부금이 실제로는 기아를 어떻게 영속시키지를 밝힌다. 그리고 토니 와이스Tony Weis의 『생태 말굽 자국: 글로벌 산업적 축산의 짐The Ecological Hoofprint: The Global Burden of Industrial Livestock』(Zed Books, 2013)과 롭 월러스Rob Wallace의 『큰 농장이 큰 인플루엔자를 만든다: 전염병, 농업관련 기업, 그리고 과학의 본질Big Farms Make Big Flu: Dispatches on Infectious Disease, Agribusiness, and the Nature of Science』(Monthly Review, 2016) 둘 모두는 산업용 고기의 증가가 환경 파괴와 지구를 휩쓰는 먹을거리에 기초한 전염병의 중심에 있다는 것을 보여준다.

농업생태학과 농업개발 분야의 문헌들 역시 방대하다. 기초적인 저작들로는 겐 윌켄Gene Wilken의 『좋은 농부들: 멕시코와 중앙아메리카에서의 전통적인 농업 자원 관리Good Farmers: Traditional Agricultural Resource Management in Mexico and Central America』(University of California Press, 1988), 미구엘 알티어리Miguel Altieri의 『농업생태학: 지속가능한 농업의 과학적 토대Agroecology: The Scientific Basis of Sustainable Agriculture』(Westview Press, 1987), 그리고 롤런드 번치Roland Bunch의 『옥수수의 두 귀: 사람 중심의 농업 개선 가이드Two Ears of Corn: A Guide to People-Centered Agricultural Improvement』(World Neighbors, 1985)를

들 수 있다. 월켄의 책에는 전통적인 농부들에 대한 사례 연구가 풍부하게 들어 있다. 알티어리는 지속가능한 농업의 과학이 무엇인지를 정의한다. 번치는 동료가 주도하는 농업개발의 효과를 기록하고 있다. 이 책들은 내가 『농민에게서 농민에게로: 지속가능한 농업을 위한 라틴아메리카 농민운동의 목소리 Campesino a Campesino: Voices from Latin America's Farmer to Farmer Movement for Sustainable Agriculture』(Food First Books, 2006)에서 다룬 농민운동들의 기틀이 되었다. 아네트 데스마레이즈Annette Desmarais, 해나 휘트먼Hannah Wittman, 네티 위베Nettie Wiebe가 쓴 『먹을거리 주권: 먹을거리, 자연, 지역사회 다시 연결시키기 Food Sovereignty: Reconnecting Food, Nature and Community』(Fernwood Press, 2010)는 이 주목할 만한 글로벌 농민운동이 내고 있는 목소리를 전달한다. 얀 다우 판 더르 플루트Jan Douwe van der Ploeg와 예 징종Jingzhong Ye이 편집한 『중국의 소농 농업과 농촌사회: 경작 패러다임 변화시키기China's Peasant Agriculture and Rural Society: Changing Paradigms of Farming』(Routledge/Earthscan, 2017)는 서구와는 전혀 다른 입장의 먹을거리 체계의 정치경제학에 근거하여 서구인들이 제대로 이해하지 못하는 나라의 정부와 사회를 설명하고 있다는 점에서 눈에 띈다.

먹을거리 체계의 정치생태학을 다루고 있는 책으로는 캐리

맥윌리엄스Cary McWilliams의 고전적 저작 『들판의 공장들: 캘리포니아의 계절 농장 노동 이야기Factories in the Field: The Story of Migratory Farm Labor in California』(University of California, 1935), 프레드 매그도프Fred Magdoff와 브라이언 토카Brian Tokar가 편집한 『위기에 처한 농업과 먹을거리: 갈등, 저항, 갱신Agriculture and Food in Crisis: Conflict, Resistance, and Renewal』(Monthly Review, 2010), 존 반더미어John Vandermeer와 이베테 퍼펙토Ivette Perfecto의 『생물다양성의 아침 식사: 열대우림 파괴의 정치생태학The Breakfast of Biodiversity: The Political Ecology of Rain Forest Destruction』(Food First Books, 2005), 이베테 퍼펙토, 존 반더미어, 앵거스 라이트Angus Wright의 『자연의 매트릭스: 농업, 보전, 먹을거리 주권 연계시키기Nature's Matrix: Linking Agriculture, Conservation and Food Sovereignty』(Earthscan, 2009) 등이 있다. 이들 저작은 생물학에 근거하여 먹을거리 생산과 환경 파괴의 정치경제학에 대해 신랄하게 분석하고 있다.

자본주의가 무엇인지를 쉽게 이해할 수 있는 실제적 지식을 전해주는 책을 쓰는 일은 극히 어려운 작업 중 하나이다. 데이비드 하비David Harvey는 카를 마르크스의 고전적 저작들에 대해 아주 쉽게 접근하고 이해할 수 있는 포괄적인 현대 가이드를 자신의 온라인 강의와 『마르크스의 '자본론' 길잡이A Companion to

Marx's Capital』(Verso, 2010)[우리말 번역본 제목은 『데이비드 하비의 맑스 자본 강의』_옮긴이]라는 책을 통해 제공한다. 하지만 그래도 당신은 마르크스의 『자본론』을 실제로 읽어야 할 것이다! 카를 폴라니Karl Polanyi의 『거대한 전환: 우리 시대의 정치적·경제적 기원The Great Transformation: The Political and Economic Origins of Our Time』(Beacon Press, 2001)[동일 제목으로 우리말로 번역되어 있다_옮긴이]은 오늘날의 신자유주의와 자본주의의 과잉에 맞서 온 '대항운동'의 역사적 경향을 이해하려면 기본적으로 읽어야 하는 책이다. 나의 책 『한 미식가의 자본주의 가이드: 우리가 먹는 것의 정치경제학 이해하기A Foodie's Guide to Capitalism: Understanding the Political Economy of What We Eat』(Monthly Review Press/Food First Books, 2017)[동일 제목으로 우리말로 번역되어 있다_옮긴이]는 이 책에서 다루고 있는 많은 주제를 보다 심층적·역사적으로 평가하고 있다.

미주

제1장 먹을거리의 정치, 권력, 잠재력

1 먹을거리 레짐은 전 세계적 규모로 먹을거리의 생산과 소비의 규칙을 지배하는 구조를 말한다. 첫 번째 글로벌 먹을거리 레짐(1870년대~1930년대)은 영국의 헤게모니와 자유무역 제국주의 체계에 뿌리를 두고 있었다. 이 레짐에서는 열대 및 온대 정착 식민지의 저렴한 먹을거리와 원료가 유럽의 산업화에 연료를 공급했다. 두 번째 먹을거리 레짐(1950년대~1970년대)은 미국 농업 잉여가 식량원조의 형태로 남부로 이전되기 시작하면서 첫 번째 레짐을 특징짓던 남부에서 북부로의 먹을거리 흐름을 역전시켰다. 녹색혁명, 제3세계의 부채위기와 그에 따른 구조조정 프로그램, 그리고 지구 남부에서의 북부 잉여 덤핑은 먹을거리에서 남부의 연간 10억 달러 흑자를 연간 110억 달러 적자로 바꿔놓았고, 이는 남부로 하여금 먹을거리의 많은 부분을 북부에 의존하게 만들었다. 현재의 '기업 먹을거리 레짐'(1980년대부터 현재까지)은 1970년대와 1980년대의 글로벌 경제위기에서 출현하여, 신자유주의적 자본주의가 팽창하고 세계무역기구(WTO), 지역 자유무역협정(FTA)으로 특징지어지는 현재의 '지구화' 시기를 이끌었다. 기업 먹을거리 레짐은 또한 '슈퍼마켓 혁명', 식품 소매 거인들의 급속한 성장, 종자 시장과 곡물 시장의 독점적 통제하로의 통합, 그리고 바이오 연료와 산업적 곡물-오일시드-축산 복합체의 출현으로 특징지어진다. Eric Holt-Giménez and Annie Shattuck, "Food Crises, Food Regimes and Food Movements: Rumblings of Reform or Tides of Transformation?" *Journal of Peasant Studies* 38, no. 1(January 2011): 109~144를 보라.

제2장 풍요한 사회에서의 기아

1 "Millennium Development Goals Report 2015"(New York: United Nations, 2015), http://www.un.org/millenniumgoals/2015_MDG_Report/pdf/MDG%202015%20rev%20%28July%201%29.pdf.

2 FAO, IFAD, UNICEF, WFP and WHO, "The State of Food Security and Nutrition in the World 2017: Building Resilience for Peace and Food Security"(Rome: FAO), http://www.fao.org/3/a-I7695e.pdf.

3 Eric Holt-Giménez, "The True Extent of Hunger: What the FAO Isn't Telling You," Backgrounder(Oakland, CA: Food First Books/Institute for Food and Development Policy, 2016), https://foodfirst.

4 Jason Hickel, "The True Extent of Global Poverty and Hunger: Questioning the Good News Narrative of the Millennium Development Goals," *Third World Quarterly* 37, no. 5(May 3, 2016): 749~767, https://doi.org/10.1080/01436597.2015.1109439.

5 "Rome Declaration on World Food Security"(Rome: FAO, 1996), http://www.fao.org/wfs/index_en.htm.

6 Millennium Summit, "Millennium Declaration," September 2000, www.visitmorocco.com.

7 Philip McMichael and Mindi Schneider, "Food Security Politics and the Millennium Development Goals," *Third World Quarterly* 32, no. 1(February 1, 2011): 119~139, https://doi.org/10.1080/01436597.2011.543818.

8 Thomas Pogge, "The First United Nations Millennium Development Goal: A Cause for Celebration?" *Journal of Human Development* 5, no. 3(2004): 377~397.

9 Hickel, "The True Extent of Global Poverty and Hunger."

10 Martin Caparros, "Counting the Hungry," *New York Times*, September 27, 2014, http://www.nytimes.com/2014/09/28/opinion/sunday/counting-the-hungry.html?_r=0.

11 Eric Holt-Giménez, Raj Patel and Annie Shattuck, *Food Rebellions: Crisis and the Hunger for Justice*(Oakland, CA/Oxford: Food First Books/Pambazooka Press, 2009).

12 "Millennium Development Goals Report 2013"(New York: United Nations, 2013).

13 "State of Food Insecurity in the World 2012. Rome: FAO, 2012"(Rome: FAO, 2012).

14 Frances Moore Lappe et al., "Framing Hunger: A Response to the State of Food Insecurity in the World 2012," June 2013, http://www.ase.tufts.edu/gdae/pubs/rp/framinghunger.pdf.

15 Moore Lappe et al.

16 UNDP, "Sustainable Development Goals"(United Nations Development

Program, 2016), http://www.undp.org/content/undp/en/home/sustainable-development-goals.html.

17 Frances Moore Lappe, Joseph Collins and Peter Rosset, World Hunger: Twelve Myths, 2nd ed.(New York: Grove Press, Food First Books, 1998), 12(1st ed. 1986).

18 Frances Moore Lappe and Joseph Collins, *World Hunger: Ten Myths* (New York/Oakland: Grove Press Food First Books, 2015).

19 Isobel Tomlinson, "Doubling Food Production to Feed the 9 Billion: A Critical Perspective on a Key Discourse of Food Security in the UK," *Journal of Rural Studies* 29(2013): 81~90.

20 Douglas Boucher, "Humanity's 'Need' for 'Food' in 2050," *Blog of Union of Concerned Scientists*, August 18, 2015, https://blog.ucsusa.org/doug-boucher/humanitys-need-for-food-in-2050-848.

21 Eric Holt-Giménez et al., "We Already Grow Enough Food for 10 Billion People ... and Still Can't End Hunger," *Journal of Sustainable Agriculture* 36, no. 6(2012): 595~598.

22 GRAIN, "Hungry for Land: Small Farmers Feed the World with Less than a Quarter of All Farmland"(Barcelona: GRAIN, May 2014), http://www.grain.org/article/entries/4929-hungry-for-land-small-farmers-feed-the-world-with-less-than-a-quarter-of-all-farmland.

23 Eric Holt-Giménez, *A Foodie's Guide to Capitalism: Understanding the Political Economy of What We Eat*(New York: Monthly Review Press/Food First Books, 2017).

24 미국과 유럽에서는 농장 직접지불금, 환경 보조금, 가격지원금, 보호관세 지원금, 수출지원금의 총액이 연간 3000억 달러가 넘는다. 이는 아프리카 대륙 전체의 GDP와 거의 맞먹으며, 지구 남부에 대한 OECD 개발지원 금액의 여섯 배이다(FAO, 2002).

25 Eric Holt-Giménez, Justine Williams and Caitlyn Hachmyer, "The World Bank Group's 2013-15 Agriculture for Action Plan: A Lesson in Privatization, Lack of Oversight and Tired Development Paradigms," Development Report(Oakland, CA: Food First Books/Institute for Food and Development Policy, October 2015), https://foodfirst.org/publication/the-world-bank-groups-2013-15-agriculture-for-action-plan-a-lesson-in-privatization-lack-of-oversight-and-tired-development-

paradigms/.

26 이 절은 다음에 기초한 것이다. Holt-Giménez, Patel and Shattuck, *Food Rebellions: Crisis and the Hunger for Justice.*

27 Lappé, Collins and Rosset, *World Hunger: Twelve Myths.*

28 World Bank, "The CGIAR at 31: An Independent Meta-Evaluation of the Consultative Group on International Agricultural Research"(World Bank Group, 2003), 31.

29 C. Hewitt de Alcantara, *Modernizing Mexican Agriculture* (Geneva: United Nations Research Institute for Social Development, 1976); S. R. Gliessman, *Agroecology: Ecological Processes in Sustainable Agriculture* (Chelsea: Ann Arbor Press, 1998); V. Shiva, *The Violence of the Green Revolution*, ed. T.W. network(London: Zed Books, 1991); *The Ecologist*, "CGIAR Agricultural Research for Whom?" December 1996.

30 B. Jennings, *Foundations of International Agricultural Research: Science and Politics in Mexican Agriculture* (Boulder, CO: Westview Press, 1988); Donald K. Freebairn, "Did the Green Revolution Concentrate Incomes? A Quantitative Study of Research Report," *World Development* 23, no. 2(1973): 265~279.

31 Raj Patel, "The Long Green Revolution," *Journal of Peasant Studies* 40, no. 1(January 1, 2013): 1~63, https://doi.org/10.1080/03066150.2012.719224.

32 Boston Consulting Group, *The Next Billions: Business Strategies to Enhance Food Value Chains and Empower the Poor* (Geneva: World Economic Forum, 2009).

33 Sally Brooks, *Rice Biofortification: Lessons for Global Science and Development* (London: Earthscan Publications, 2010).

34 Klaus von Grebmer et al., "The Challenge of Hidden Hunger," Global Hunger Index(Bonn/Washington DC/Dublin: International Food Policy Research Institute, October 2014), 3.

35 Brooks, *Rice Biofortification.*

36 Elanita C. Daño, "Biofortification: Trojan horse of Corporate Food Control?" *Development* 57, No. 2(December 2014): 201~209.

37 Daño, "Biofortification."

38 GAIN, "Public-Private Partnership Launched to Improve Nutrition in

Developing Countries," *Global Alliance for Improved Nutrition, First Annual Forum of the Business Alliance for Food Fortification*(blog), 2005, http://www.gainhealth.org/knowledge-centre/first-annual-forum-business-alliance-food-fortifica tion/.

39 George Scrinis, *Nutritionism: The Science and Politics of Dietary Advice* (New York: Columbia University Press, 2013).

40 Tristam Stewart, *Waste: Uncovering the Global Food Scandal* (New York: Norton, 2009).

41 Dana Gunders, "Wasted: How America Is Losing Up to 40 Percent of Its Food From Farm to Fork to Landfill"(National Resources Defense Council, August 2012), https://www.nrdc.org/sites/default/files/wasted-food-IP.pdf.

42 Brian Lipinski et al., "Reducing Food Loss and Waste," Working Paper (Washington, DC: World Resources Institute, May 2013), http://www.wri.org/sites/default/files/reducing_food_loss_and_waste.pdf.

43 Gunders, "Wasted."

44 "USDA and EPA Join with Private Sector, Charitable Organizations to Set Nation's First Food Waste Reduction Goals," https://www.usda.gov/oce/food-waste/.

제3장 먹을거리, 환경, 그리고 체계 변화

1 Donella H. Meadows, Dennis L. Meadows, Jorgen Randers and William W. Behrens III, *The Limits to Growth: Report from the Club of Rome's Project on the Predicament of Mankind*(New York: Universe Books, 1972).

2 Christian Parenti, "'The Limits to Growth': A Book That Launched a Movement," *The Nation*, December 2012, https://www.thenation.com/article/limits-growth-book-launched-movement/.

3 Johan Rockstrom et al., "Planetary Boundaries: Exploring the Safe Operating Space for Humanity," *Ecology and Society* 14, no. 2(2009), http://www.ecologyandsociety.org/vol14/iss2/art32/.

4 Murray Bookchin, *Remaking Society*(Portland, OR: Black Rose Books, 1989).

5 "이 주기적인 재앙으로 인해 고지에서 씻겨 나온 토양은 그 결과 다른 장소

에서처럼 어떠한 충적 퇴적물도 형성하지 않지만, 깊은 곳에서 일이 벌어지며 토양이 소실된다. 당신은 이제 질병에 의해 피폐해진 몸의 뼈와 같은 어떤 것으로 …… 남는다. 기름지고 부드러운 토양은 모두 사라지고 피부와 뼈만 남았다." Plato, *Timaeus and Critias*, trans. Desmond Lee(New York: Penguin, 1977).

6 Dale T. Carter, *Topsoil and Civilization*(Norman, OK: University of Oklahoma Press, 1955).

7 Fred Magdoff and John Bellamy Foster, "Liebig, Marx and the Depletion of Soil Fertility: Relevance for Today's Agriculture," in *Hungry for Profit: The Agribusiness Threat to Farmers, Food and the Environment*(New York: Monthly Review Press, 2000).

8 Karl Marx, *Capital: A Critique of Political Economy*, vol. 1(New York: International Publishers, 1967), 637~638.

9 Fred Magdoff and Chris Williams, *Creating an Ecological Society: Toward a Revolutionary Transformation*(New York: Monthly Review Press, 2017).

10 Magdoff and Foster, "Liebig, Marx and the Depletion of Soil Fertility."

11 Fred Magdoff, "A Rational Agriculture Is Incompatible with Capitalism," *Monthly Review* 66, no. 10(March 2015): 1~18.

12 John Ikerd, "The New Farm Crisis Calls for New Farm Policy"(Missouri Farmers' Union Annual Conference, Jefferson City, MO, 2002), http://web.missouri.edu/ikerdj/papers/FarmUnion.pdf.

13 Stacy Noel, "Economics of Land Degradation Initiative: Report for Policy and Decision Makers"(Bonn, Germany: ELD Initiative, September 2015), http://www.eld-initiative.org/fileadmin/pdf/ELD-pm-report_05_web_300 dpi.pdf.

14 Naomi Stewart, "The Value of Land: Prosperous Lands and Positive Rewards through Sustainable Land Management," ELD Initiative(Bonn, Germany: ELD Initiative, 2015), http://eld-initiative.org/fileadmin/pdf/ELD-main-report_05_web_72dpi. pdf.

15 Magdoff and Williams, *Creating an Ecological Society*.

16 Denise Breitburg et al., "Declining Oxygen in the Global Ocean and Coastal Waters," *Science* 359, no. 6371(January 5, 2018), https://doi.org/10.1126/science.aam7240.

17 Dennis Dimick, "If You Think the Water Crisis Can't Get Worse, Wait Until the Aquifers Are Drained," *National Geographic*, August 21, 2014.

18 David Biello, "Is Northwestern India's Breadbasket Running Out of Water?," *Scientific American*, August 12, 2009, https://www.scientificamerican.com/article/is-india-running-out-of-water/.

19 Eric Holt-Giménez, "Measuring Farmers' Agroecological Resistance to Hurricane Mitch in Central America"(International Institute for Environment and Development, 2001).

20 Stacy Philpott et al., "A Multi-Scale Assessment of Hurricane Impacts on Agricultural Landscapes Based on Land Use and Topographic Features," *Agriculture, Ecosystems & Environment* 123, no. 1-2(2008): 12-20, http://www.sciencedirect.com/science/article/pii/s0167880908001382.

21 Hallman Caspar, "More than 75 Percent Decline over 27 Years in Total Flying Insect Biomass in Protected Areas," *PLOS ONE*, 2017, https://doi.org/10.1371/journal.pone.0185809.

22 IPCC, "IPCC Fourth Assessment Report: Climate Change. 4: Adaptation and Mitigation Options"(Intergovernmental Panel on Climate Change, 2007), https://www.ipcc.ch/publications_and_data/ar4/syr/en/spms4.html.

23 Henning Steinfeld et al., *Livestock's Long Shadow: Environmental Issues and Options*(Food and Agriculture Organization of the United Nations, 2006).

24 Nicolas Stern, "The Stern Review on the Economics of Climate Change"(London: UK Office of the Exchequer, 2006).

25 Annie Shattuck, "Food, Climate and the Myths That Keep Our Planet Hot," Backgrounder, Climate Justice(Oakland, CA: Food First Books/Institute for Food and Development Policy, 2017), https://foodfirst.org/publication/food-climate-and-the-myths-that-keep-our-planet-hot/.

26 FUNDESCA, *El Último Despale... La Frontera Agrícola Centroamericana*(San José, Costa Rica: Fundación para el Desarrollo Económico y Social de Centro America, 1994).

27 Sam Lawson, "Consumer Goods and Deforestation: An Analysis of the Extent and Nature of Illegality in Forest Conversion for Agriculture and Timber Plantations," *Forest Trends*(2014), http://www.forest-trends.org/illegal-deforestation.php.

28 Tony Weis, *The Ecological Hoofprint: The Global Burden of Industrial Livestock* (London: Zed Books, 2013).

29 Tony Weis, "Towards 120 Billion: Dietary Change and Animal Lives," *Radical Philosophy*, October 2016, https://www.radicalphilosophy.com/commentary/towards-120-billion.

30 연어 생산에서 생물학적 가속은 바다 수확을 강화하던 방식에서 내륙 양식 물고기로 유전자를 변형시켜 가두리에서 집약적으로 양식하는 방식으로 진전되어 왔다. 전매특허를 받은 아큐어드밴티지(AquAdvantage) 연어는 치누크 연어(북태평양산의 큰 연어)와 대서양 연어의 유전자를 오션 파웃(ocean pout, 뱀장어와 비슷한 빨리 성장하는 물고기)과 결합시킴으로써 '알에서 요리로까지의' 생산시간이 3년에서 18개월로 줄었다. 유전자 조작 '연어'는 파나마 양어장에서 주로 어분을 먹고 자란 다음 곧 전 세계로 운송된다.

31 Weis, "Towards 120 Billion."

32 Gordon Conway, *The Doubly Green Revolution* (London: Penguin Books, 1997).

33 Ismail Serageldin, "The CGIAR at Twenty-Five: Into the Future," in *International Centers Week, October 28-November* (Washington, DC: CGIAR, 1997).

34 Gordon Conway, *One Billion Hungry: Can We Feed the World?* (Ithaca, NY: Cornell University Press, 2012).

35 Eric Holt-Giménez, "One Billion Hungry: Can We Feed the World? by Gordon Conway(Book Review)," *Agroecology and Sustainable Food Systems* 37, no. 8(2013): 968~971.

36 Peter Rosset, "The Multiple Functions and Benefits of Small Farm Agriculture in the Context of Global Trade Negotiations," Food First Policy Brief(Oakland, CA: Food First Books/Institute for Food and Development Policy, 1999).

37 Sylvia Kantor, "Comparing Yields with Land Equivalent Ratio(LER)," Agriculture and Natural Resources Fact Sheet(Renton, Washington: Washington State University, King County, 2017), https://ay14-15.moodle.wisc.edu/prod/pluginfile.php/59463/mod_resource/content/0/LERfactsheet.pdf.

38 C. Badgley et al., "Organic Agriculture and the Global Food Supply,"

Renewable Agriculture and Food Systems 22, no. 2(2007): 86~108; Jules Pretty and Rachel Hine, "Feeding the World with Sustainable Agriculture: A Summary of New Evidence," Final Report from SAFE-World Research Project(Colchester: University of Essex, 2000); E. Holt-Giménez, "Measuring Farmers' Agroecological Resistance after Hurricane Mitch in Nicaragua: A Case Study in Participatory, Sustainable Land Management Impact Monitoring," *Agriculture, Ecosystems & Environment* 93(2002): 87~105.

39 E. O. Wilson and Robert MacArthur, *The Theory of Island Biogeography* (Princeton, NJ: Princeton University Press, 1967).

40 John Vandermeer, Ivette Perfecto and Angus Wright, *Nature's Matrix: Linking Agriculture, Conservation and Food Sovereignty*(London: Earthscan, 2009).

41 Claire Kremen, "Reframing the Land-Sparing/Land-Sharing Debate for Biodiversity Conservation," *Annals of the New York Academy of Sciences* 1355, no. 1(October 1, 2015): 52~76, https://doi.org/10.1111/nyas.12845.

42 Claire Kremen, "How to Feed the World Without Killing the Planet," University of California, Berkeley, *Cool Green Science*(blog), July 14, 2017, https://blog.nature.org/science/2017/07/07/feed-world-without-killing-planet-agriculture-food-security/.

43 George Naylor, "Agricultural Parity for Land De-Commodification," in Justine M. Williams and Eric Holt-Giménez, eds., *Land Justice: Re-Imagining Land, Food and the Commons in the United States* (Oakland, CA: Food First Books, 2017).

44 Marcus Taylor, "Climate-Smart Agriculture: What Is It Good For?," *Journal of Peasant Studies* 45, no. 1(January 2, 2018): 89~107, https://doi.org/10.1080/03066150.2017.1312355.

45 Madeleine Fairbairn, "'Like Gold with Yield': Evolving Intersections between Farmland and Finance," *The Journal of Peasant Studies* 41, no. 5(September 3, 2014): 777~795, https://doi.org/10.108 0/03066150.2013.873977.

46 Lorenz Cotula and Thierry Berger, "Trends in Global Land Use Investment: Implications for Legal Empowerment"(London, 2017), http://pubs.iied.org/pdfs/12606IIED.pdf.

47 OXFAM, "The Truth about Land Grabs," ND, https://www.oxfamamerica.org/take-action/campaign/food-farming-and-hunger/land-grabs/.

48 William Ripple and et al., "World Scientists' Warning to Humanity: A Second Notice," *BioScience* 67, no. 12(2017): 1026~1028.

제4장 누가 세계를 파괴하지 않으면서 세계를 먹여 살릴 수 있는가?

1 Joseph A. Schumpeter, *Capitalism, Socialism and Democracy*(London and New York: Routledge, 1976).

2 Beverly McIntire et al., "Agriculture at a Crossroads: International Assessment of Agricultural Knowledge, Science and Technology for Development," Synthesis(Washington, DC: Island Press, 2009), http://www.agassessment.org/.

3 D. Rieff, *The Reproach of Hunger: Food, Justice, and Money in the Twenty-first Century*(New York: Simon & Schuster, 2015).

4 Andy Fisher, *Big Hunger: The Unholy Alliance Between Corporate America and Anti-Hunger Groups*(Cambridge, MA: MIT Press, 2017).

5 Karl Polanyi, *The Great Transformation: The Political and Economic Origins of Our Time*(Boston, MA: Beacon Press, 1944).

6 Thomas Piketty, *Capital in the Twenty-First Century*(Cambridge, MA: Harvard University Press, 2014).

7 M. A. Altieri, *Agroecology: The Scientific Basis of Sustainable Agriculture*(Boulder, CO: Westview Press, 1987).

8 Steve Gliessman, "Defining Agroecology," *Agroecology and Sustainable Food Systems* 42, no. 6(July 3, 2018): 599.600, https://doi.org/10.1080/21683565.2018.1432329.

9 La Via Campesina, *Declaration of the International Forum for Agroecology*, https://viacampesina.org/en/declaration-of-the-international-forum-for-agroecology/.

10 J. Pretty, *Regenerating Agriculture; Policies and Practice for Sustainability and Self-Reliance*(London: Earthscan Publications, 1995); N. Uphoff, *Agroecological Innovations: Increasing Food Production with Participatory Development*(London: Earthscan, 2002).

11 Peter Rosset, "Cuba's Nationwide Conversion to Organic Agriculture," *Capitalism, Nature, Socialism* 5, no. 3(1994): 20.

12 United Nations FAO, "Trade Reforms and Food Security: Conceptualizing the Linkages"(Rome: Food and Agriculture Organization, 2003), http://www.fao.org/docrep/005/y4671e/y4671e06.htm.

13 United Nations FAO, "Declaration of the World Food Summit on Food Security"(Rome: Food and Agriculture Organization, November 2009), http://www.fao.org/fileadmin/templates/wsfs/Summit/Docs/Final_Declaration/WSFS09_Declaration.pdf.

14 Declaration of Nyeleni, Via Campesina, Selingue, Mali, 2007. https://nyeleni.org/spip.php?article290.

15 EHNE-Bizkaia, "Food Sovereignty in Practice in the Basque Country," *Food First Backgrounder* 19, no. 3(Fall 2013).

16 Frances Moore Lappé and Joseph Collins, *World Hunger: Ten Myths* (New York/Oakland: Grove Press, Food First Books, 2015).

17 Steve Brescia, *Fertile Ground: Scaling Agroecology from the Ground Up* (Oakland, CA: Food First Books, 2017).

18 Peter Rosset and Miguel A. Altieri, *Agroecology: Science and Politics* (Black Point, Nova Scotia: Fernwood Publishing, 2017).

19 Eric Holt-Giménez, "Racism and Capitalism: Dual Challenges for the Food Movement," *Journal of Agriculture, Food Systems, and Community Development* (2015), http://dx.doi.org/10.5304/ jafscd.2015.052.014.

20 Samir Amin, "Food Sovereignty: A Struggle for Convergence in Diversity," in Eric Holt-Giménez, ed., *Food Movements Unite! Strategies to Transform Our Food Systems* (Oakland, CA: Food First Books, 2011), xi-xviii.

21 IPES, "From Uniformity to Diversity: A Paradigm Shift from Industrial Agriculture to Diversified Agroecological Systems," International Panel of Experts on Sustainable Food systems(2016), www.ipes-food.org.

22 Pat Mooney, Chantal Clements and Nick Jacobs, "Too Big to Feed: Exploring the Impacts of Mega-Mergers, Consolidation and Concentration of Power in the Agri-Food Sector," IPES—International Panel of Experts on Sustainable Food Systems(2017), www.ipes-food.org.

찾아보기

주제어

인명

책 제목

책을 옮기고 나서

2년 전 옮긴이는 이 책의 저자 에릭 홀트-히메네스의 『한 미식가의 자본주의 가이드』라는 책을 번역하여 출간한 바 있다. 그 책에서 홀트-히메네스는 정치경제학의 원리에 의거하여 오늘날의 먹을거리 체계와 관련된 문제들 — 기아, 비만, 토지 수탈, 환경오염, 지구 온난화 — 이 자본주의 경제체계의 문제에 의해 규정된다는 점을 쉽고 명쾌하게 설명해 냈다. 따라서 그 책은 전문 연구자는 아니지만 농업 문제와 관련된 영역에 종사하는 사람들이나 먹을거리 운동가에게는 더없이 유용한 읽을거리였다. 하지만 그 책은 정치경제학에 친숙하지 않은 일반 독자들에게는 그 내용이나 분량 면에서 부담이 되는 것도 사실이었다.

홀트-히메네스는 이 점을 의식했는지 폴리티Polity 출판사의 '글로벌 퓨처스Global Futures' 시리즈의 하나로 출간된 이 작은 책 『우리는 세계를 파괴하지 않고 세계를 먹여 살릴 수 있는가』에서는 정치경제학적 관점에서 논의하면서도 전문적인 학술 용어를 최대한 걷어냄으로써 일반 독자들이 이 주제에 쉽게 접근할 수 있게 서술한다. 특히 이 책에서 홀트-히메네스는 먹을거리와 농업에 관해 조금이라도 관심이 있는 사람들이라면 궁금해 했을 역설적인 현상들에 논의를 집중한다.

오늘날 한편에서는 음식 쓰레기가 넘쳐나는데 다른 한편에서는 왜 그토록 많은 사람이 굶주리는가? 게다가 왜 먹을거리의 직접 생산자인 농부들마저 기아를 겪는가? 여전히 먹을거리가 부족한 것인가? 농민들은 자신뿐만 아니라 소비자, 환경에도 나쁘다는 것을 알면서도 왜 농약과 비료를 농사에 투입하고, 그리하여 생태계 파괴의 주범 중 하나라는 오명을 자초하는가? 그렇다면 그들 역시 자본주의에 물든, 자기 이익만을 좇는 나쁜 사람들인가? 이에 대해 홀트-히메네스는 이러한 예상 답안과는 전혀 다른 답을 내놓는다. 그에 따르면, 사람들이 굶주리는 것은 먹을거리가 부족하기 때문이 아니라 돈이 없기 때문이다. 그리고 세계의 소농들은 이기적이기보다는 여전히 순박하다.

그렇다면 이 이율배반적인 현상은 왜 발생하는가? 홀트-히메네스는 이 책에서 그러한 현상들이 자본주의에 내재하는 과잉생산에서 기인한다는 점을 밝힌다. 간략히 요약하면, 먹을거리의 과잉생산은 농산물 가격을 생산비용 이하로 낮추고, 이는 농민들을 너무나도 가난하게 만들어 먹을거리를 살 수 없게 한다. 이제 먹을거리 시장경쟁에서 살아남은 (산업적) 농민들은 먹고살기 위해 더 많은 것을 생산해야 하고, 더 많은 것을 생산하기 위해서는 그 위험성에도 불구하고 더 많은 농약과 비료를 투입할 수밖에 없다.

따라서 홀트-히메네스는 기아 종식을 명분으로 더 많은 생산을 고집하는 것은 가난한 사람들을 먹여 살리지 못할 뿐만 아니라 지구를 파괴하고 그 속에 살고 있는 모두를 위험에 빠뜨릴 뿐이라고 주장한다. 그는 학자이자 실천가답게 이러한 위기에 빠진 먹을거리 체계를 변혁하기 위한 전략으로 녹색혁명 패러다임에서 농업생태학적 패러다임으로의 전환을 요구하며, 모든 진보적 사회운동 세력들이 글로벌 먹을거리 운동으로 단결할 것을 촉구한다.

독자들은 이 책을 읽으면서 자신 역시 먹을거리 위험사회에 깊숙이 들어와서 그것의 작동에 한몫하고 있음을 느낄지도 모른다. 사실 홀트-히메네스는 독자들이 그러한 자각을 통해 먹을거리 운동의 양심적 지지자가 되길, 그리하여 지구 지킴이가 되어주길 간절히 바란다. 옮긴이 역시 더 많은 사람이 먹을거리 운동의 현장 실천가는 아닐지라도 식탁 실천가가 되어, 이 책의 표지가 그리고 있는 진정한 녹색 세계가 만들어지기를 기대해 본다.

2021년 여름

가을을 알리는 매미 소리를 들으며

박 형 신

지은이

에릭 홀트-히메네스(Eric Holt-Giménez)는 푸드 퍼스트(Food First)/먹을거리와 개발정책 연구소 소장이다. 캘리포니아대학교(산타크루즈)에서 환경연구로 박사학위를 받았다. 농업생태학자로 20년 넘게 멕시코와 중앙아메리카의 농민운동을 연구하며 그들과 함께 일했다. 캘리포니아대학교, 보스턴대학교, 이탈리아 국제미식학대학교 등 여러 대학에서 개발학과 먹을거리 주권 및 먹을거리 정의에 대해 강의했다. 이 책 외에도 『농민에게서 농민에게로』, 『먹을거리 반란』(공저), 『한 미식가의 자본주의 가이드』 등이 있다.

옮긴이

박형신은 고려대학교 문과대학 사회학과를 졸업하고 동 대학원 사회학과에서 석사와 박사학위를 취득했다. 현재는 연세대학교 사회발전연구소 연구교수로 일하고 있다. 주요 저서로 『정치위기의 사회학』, 『감정은 사회를 어떻게 움직이는가』(공저), 『오늘의 사회이론가들』(공저) 등이 있고, 번역서로는 『고전사회학의 이해』, 『은유로 사회 읽기』, 『감정적 자아』, 『감정과 사회관계』, 『음식과 먹기의 사회학』, 『한 미식가의 자본주의 가이드』 등이 있다.

한울아카데미 2324

우리는 세계를 파괴하지 않고 세계를 먹여 살릴 수 있는가

지은이 에릭 홀트-히메네스
옮긴이 박형신
펴낸이 김종수
펴낸곳 한울엠플러스(주)
편집 신순남

초판 1쇄 인쇄 2021년 9월 6일
초판 1쇄 발행 2021년 9월 24일

주소 10881 경기도 파주시 광인사길 153 한울시소빌딩 3층
전화 031-955-0655
팩스 031-955-0656
홈페이지 www.hanulmplus.kr
등록번호 제406-2015-000143호

Printed in Korea.
ISBN 978-89-460-7324-1 93300(양장)
978-89-460-8116-1 93300(학생판)

※ 책값은 겉표지에 표시되어 있습니다.
※ 무선제본 책을 교재로 사용하시려면 본사로 연락해 주시기 바랍니다.